荘子の哲学を生きる

九万里を分母に

漢文好き高校教師の語り合い

目次

まえがき

高校で国語を教えることになってはや三十余年。

定年退職まであと一年となりました。よくここまで来られたなとしみじみ感慨にふけっています。

多くの人にお世話になりました。歴代の校長先生をはじめ、諸先生方はもちろんのこと、出会った生徒、毎年二百人くらいには出会うわけですから、それこそ数えきれない生徒に、たくさん、たくさんお世話になりました。これまでお世話になった方々に本当に感謝、感謝の言葉あるのみです。

ところでもう一つ、教員生活三十有余年、なんとかここまでやって来られたのは、やはり『荘子』という書物のおかげだろうと思っています。古典には人を動かす力があり、古典を読むことに意味があるとすれば、私にとってのそれはこの『荘子』でした。授業をどうしよう、この生徒にどう向き合おう、この仕事がうまくいかないんだけど、そんな困った時、悩んだ時、どうしようもなく腹が立った時には、この『荘子』をひもとくと、そこに明確な答えが書かれているわけではありませんが、なにかしら気持ちが落ち着き、次に進むことができたのです。そうやってこの三十年、過ごしてきたように思います。

「九万里を分母にする」。これは『荘子』冒頭、逍遥遊篇の大鵬飛翔の中にある話です。「九万里」とは無限大。その無限大を分母にすると、たとえ一であっても千であっても、すべてが等しいことになります。教員と生徒、高校の中でははっきりと立場が分かれます。片方は指導者であり、教える人間で、もう片方は教わる人間です。でも無限大を分母にする、つまり、社会の中の一員とか、一人の人間であるとか、そういう尺度でとらえなおすと、不思議なことにこの教員と生徒という関係が別のものに見えてくるのです。教員と生徒とが等しくなる場、それを考える、または考えようとすることで、困難を克服することができたと思います。

「九万里を分母にする」。自分の今置かれている状況を見直すのに『荘子』の哲学が大いに役立ったように思います。仕事上、何かしら行き詰って困った時、生徒のことで立ち行かなくなった時、実はそんな時には何かしら自分だけのこだわりがあって、そこから抜き出せなくなっている状態だったように思います。自分で勝手に範囲を区切ってしまって、その型のなかで苦しんでいたのではないか。その区切りを取っ払ってしまうか、またはその範囲を少し広げるだけで解決がつく、そうしたことも『荘子』の哲学から教わったように思います。

教員生活が終わりに近づくにつれ、お世話になった『荘子』について何か書き残しておきたいという気持ちが強くなっていきました。少しかっこよく言えば、『荘子』という古典を自分自身のキャリア形成のなかでどう活用したか、ということですが、高校の教員である私が『荘子』について何かを書くとすれば、『荘子』の哲学が毎日の教員生活にどう関わり、どう役立ったかを書くほかありません。

幸い『荘子』の中には対話や寓話が多く、それらを通じて荘子自身が自らの哲学を述べているケースがたくさんあります。私もそれをまねてみることにしました。あわよくば自分の後輩にその哲学を伝えることが出来れば、そう思っていたので、対話の相手には私の後輩に登場してもらいました。何年か前に初任者研修の指導を担当したのが縁で、その後も交流のある松村朋子先生です。彼女は現在県立盲学校に勤務していますが、かつては同じ学校に勤務し、授業や生徒のことで多くのことを語り合った仲です。二人の対話という形をとり、その中にこれまでかかわった多くの生徒に登場してもらいました。ただ『荘子』でもそうなのでしょうけど、二人の対話はすべて北原の創作です。ですから本書の文責はすべて北原にあります。

『荘子』は語源の宝庫でもあります。ですから本篇で取り上げた「朝三暮四」や「庖丁」、「明鏡止水」や「莫逆の友」「機械」等以外でも、語源だけを扱った「語源コラム」もいくつか書きました。現存する中国の古典で『荘子』が古い部類に入るから、当然と言えば当然なのですが、それよりも多くの人がこの『荘子』を心の拠り所にしたからこそ、それも時代を超えて繰り返し繰り返し『荘子』をひもとく人がいたからこそ、「語源」となる言葉が豊富なのではないでしょうか。

それではしばし、高校教師二人の対話で進める『荘子』の哲学のお話にお付き合いください。

第一話　大鵬飛翔

北の果て、暗い海の中に魚がいました。
その魚の名前を鯤（こん）と言いました。
鯤の大きさと言ったら何千里あるかわからないほどでした。
その魚があるとき、飛び立って鳥となりました。
その鳥の名前を鵬と言いました。
鵬の翼を広げた背中と言ったら、これもまた何千里あるかわからないほどでした。
怒りて飛び立った、その翼は空一面を覆い尽くしてしまう雲のようでした。
この鳥は海が動くのに合わせて、南の果てに移ろうとします。
その南の果てを天池と言いました。

北冥に魚有り。其の名を鯤と為す。鯤の大いさ其の幾千里なるかを知らざるなり。化して鳥と為る。其の名を鵬と為す。鵬の背其の幾千里なるかを知らざるなり。怒りて飛び、其の翼垂天の雲のごとし。是の鳥や、海運(うご)けば則ち将に南冥に徙(うつ)らんとす。南冥とは天池なり。
（逍遥遊篇）

北原　『荘子』という書物は、この壮大な物語から始まるんだ。鯤という、それはそれは大きな魚が、ある時、これまたとてつもなく大きな鵬という鳥となって、大空高く、九万里の高さを羽ばたいていく。そう言えば、昭和の終わり頃のお相撲さんで、幕内最高優勝三十二回という大記録を打ち立てた大鵬という横綱がいたのは知ってるかな。私はその大鵬が三十二回目の最後の優勝を決めた瞬間を、ちょうど小学生の時にテレビで見た記憶が鮮明に残っているけど。

昭和44年初場所　8日目　36連勝と自己の連勝記録をのばし、土俵入りにも力が入る横綱大鵬
大鵬企画「大鵬写真館」より

松村　名前は聞いたことがあります。引退後もそのまま大鵬親方になりましたよね。

北原　その力士にしこ名をつけるのに、当時の二所ノ関親方は、その名の通り、大きく羽ばたいてほしいという願いを込めてこの話からしこ名が作られたんだって。

松村　へえ、そうなんですか。そう言えば、そのあとも「鵬」をしこ名に使うお相撲さんがたくさんいますよね。その一人が平成の大横綱、白鵬関ですよね。

北原　そう。大鵬の優勝回数三十二回の記録を塗り替えたのが白鵬関というのも、何かこの話が取り持つ縁があるかもしれないね。

松村　白鵬関はもう優勝四十回を超えましたよね。

北原　そうだね。すごいよね。ところで、この「大鵬飛翔」の話なんだけど、授業の前に、教室に向かう途中の廊下で空を見上げると、よくこの話が頭に浮かぶんだ。というか、少し立ち止まってこの話を思い浮かべると気分が落ち着くんだ。授業前の緊張がほぐれるっていうか。

松村　先生が緊張するんですか。信じられません。

北原　毎回緊張しているよ。まず最初はこの話をして、その次にはこれ。このタイミングでプリントを配って、っていろんな段取りを考えているので、それがうまくいくかどうか、と考えるとね。まあ、三十年も教員をやってきて、だいぶ経験を重ねたから、緊張してないように見えるかもしれないんだけど。

松村　先生でも緊張するんだと聞いて安心しました。私が緊張しても当たり前ですよね。で、青空を見上げながら、この話を思い浮かべてどんなことを考えているんですか。

北原　そうね、なんていうか、授業前に、青空を見上げて、この話に思いをめぐらすと、爽快感を感じるというか、自然と気分が良くなるんだ。九万里というのはあのくらいの高さを飛んでいるんだろうか。そんなに高いところから地上を眺めると、どんなふうに見えるんだろう。それぞれがほんとにちっぽけなものに見えるんだろうな、ってね。

松村　でも、先生。このあとを読むと、列子という人が出てきて、どうやらその人は雲に乗って空を飛ぶことができると書いてあるんですけど、こうした人は、かなりの修業を積んで空を飛べるようになるんですよね。中国の仙人の話を読むとそんなことがたくさん書いてあります。先生は仙人になる修業をしているんですか。

北原　うーん。特にはしてないけど。

松村　じゃあ、先生。先生は鳥ではないんだから九万里はおろか、数メートルも飛べませんよね。だとしたらこの話はあまり現実的な話ではないと思うんですけど。

北原　確かにそうだね。そのあとに、小さな鳥の代表として、ひぐらしやこばとが出てきて、それを九万里の高さから見下ろしている姿も描かれている。荘子では九万里もの上空を飛び立つ絶対者を描きたかったのだとは思うけど、普通の人間にはできない話だね。

松村　じゃあ、授業前にこの話を思い描くと、どうして気持ちが落ち着くんだと先生自身は思いますか。

北原　こう考えてみてはどうだろう。九万里の高さまで飛ぶ、というのは、それこそ中国の仙人のように特別な訓練を受けたものしかできないことだ。普通の人ができることじゃない。だからこの九万というのを高さじゃなくて時間におきかえて、九万時間としたらどうだろう。

松村　九万時間ですか。

北原　そう九万時間。一日二十四時間だから、一年間で約九千時間。すると十年で約九万時間になる。九万里の上空に飛び立つのが現実的に無理な話なら、九万時間という、とにかくとてつもなく長い時間を分母にして目の前で起こる一コマ一コマを見ると、それぞれがほんとに些細なことになってくる。例えば、チャイムが鳴って教室に入ると、「先生、ロッカーに教科書取りに行っていいですか」とか、「すみません。プリント忘れてしまったのでください」といったことは高校ではよくあるよね。ほかにも、宿題を忘れてきた生徒がいたり、授業中にほかの教科を勉強していたり、時には寝ている生徒がいることもある。毎時間いろんなことが教室では起こって、いちいち怒っていたらきりがないくらいだ。だけど九万時間を分母にしていたら、つまり、十年間を単位として考えたら、怒る気がしないんだ。

松村　どういうことですか。

北原　今の高校生、十年前だったら小学生かな。小学生の子供が十年たつとこんなに大きくなるんだ、とか、今の生徒が十年たつと、おそらくほとんどの人が社会人として働いている。そのころにはこの生徒も、もう忘れ物をしなくなっているだろうなとか、期日までに間に合わない、そんなこともない立派な社会人になっているのかなとか。教員生活が長いと、たまに教え子に会うんだ。「先生ボクのこと覚えてますか」なんて聞かれて、「えっ〇〇くん。わー立派になったね」なんてこともある。そんなことをいろいろ経験して、目の前の生徒に接すると、もちろん注意はするけど、腹が立つことはないかな。

松村　そうですね、先生が怒った、なんて話、ほとんど聞いたことがありませんね。

北原　実際に人間は九万里の高さまで飛べないけれど、目の前のことを目の前のことだけでしか見ないのではなく、少し離れたところから見る。それこそ、相撲で例えるなら、同じ土俵に立ってしまうのではなく、土俵の外から眺めてみる。この『荘子』の冒頭にある話はそんなことを考えさせてくれる、そう思うんだ。

松村　へえ、そんなこと考えたこともありませんでした。でも確かにそう考えると、生徒の一つ一つの行動に目くじらを立てなくていいかもしれません。気持ちが楽になりますね。やっぱり先生は仙人みたいな人ですね。

北原　おいおい。

第二話　無用の用

ある時、恵施（けいし）という人が荘周にこう言いました。
「魏の王様が私に大びょうたんの種をくださった。
これを植えて五石の実がなったのはいいが、
それに水を入れると、重すぎて持ち上がらない。
これを二つに割ってひしゃくにすると、
浅すぎて水がこぼれてしまう。
大きなだけで無用なので捨ててしまったよ」
すると荘周が言いました。

「君は昔から大きなものを使うのがへただな。
宋の国に『あかぎれに効く薬』を作る人がいてね、
その人は先祖代々綿を水でさらす仕事をして
『あかぎれに効く薬』を使っていたんだ。
ある人がその薬のことを聞きつけて、
その薬の作り方を百金で買いたいと申し出た。
宋の人は一族を集めてこう言ったんだ。
自分は代々綿を水でさらす仕事をしてきたが、
かせぐのは数金ほどだ。
今薬の作り方を教えるだけで百金が手に入るなら、
その人に教えようと思う、と。

百金で薬の作り方を買い求めたその人は、
それを呉の王様に話した。
越の国と戦争になったとき、呉王はその人を将軍にした。
冬になって、越と川を挟んで戦い、
その薬のおかげで越の国に大勝した。
そしてそのほうびに土地をもらったんだ。
『あかぎれに効く薬』としては同じだが、
一方は土地を手に入れ
一方は相変わらず綿を水でさらす仕事を続けている。
それはものの使い方が違うんだな。
同じものでも使い方が違うとこうなるんだ。

今君は五石の大きなひょうたんを手にしている。
どうしてそれを樽がわりにして湖に浮かべようと思わず、
水を入れることしか考えないのかな」

恵子荘子に謂ひて曰はく、「魏王、我に大瓠の種を貽(おく)れり。我之を樹(う)ゑて成るに五石を実る。以て水漿を盛れば、其れ堅くして自ら挙ぐること能はざるなり。之を剖(さ)きて以て瓢と為せば、則ち瓠落して容るる所無し。呺然として大きからざるに非ざれども、吾れ其の無用のために之を掊(わ)れり。」

荘子曰はく、「夫子固より大を用ゐることに於いて拙し。宋人に善く不亀手の薬を為る者有り。世世に絖(わた)を洴澼するを以て事と為す。客之を聞き、其の方を百金にて買はんことを請ふ。族を聚めて謀りて曰はく、我れ世世絖を洴澼するを為すに、数金に過ぎず。今一朝にして技を鬻(う)りて百金となる。請ふ之に与へんと。客之を得て、以て呉王を説けり。越に難有りて、呉王之をして将たらしむ。冬、越人と水戦し、大いに越人を敗る。地を避(わか)ちて之に封ず。能く不亀手は一なり。或るひとは以て封され、或るひとは絖を洴澼するを免れざるは、則ち用ゐる所の異なるなり。今子に五石の瓠有り。何ぞ以て大樽を為りて江湖に浮かべんことを慮(おも)はずして、其の瓠落して容るる所無きを憂へん。則ち夫子猶ほ蓬の心有るや」。

（逍遥遊篇）

北原　逍遥遊篇の後半に「無用の用」という言葉が出てくるけど、この言葉は聞いたことがあるかな。

松村　はい、あります。センター試験の問題にも出ていましたよね。

北原　そう。数年前の漢文の問題で、タケノコの話として出ていたね。おいしいタケノコはすぐに取られて食べられるけど、おいしくないタケノコは誰にも見向きもされないから竹になるんだという話の最後に、それは荘子に言う「無用の用」のようなものだ、ってあるよね。

松村　だから先生よく、漢文の授業では必ず諸子百家の思想を取り上げなさい。論語や孟子、韓非子だけでなく、老子や荘子の勉強もきちんとしておいたほうが、センター試験で点が取れるよ、そんなことをおっしゃってましたよね。

北原　いやいや、まあいわゆる進学校に行くと、どうしてもそんな話になってしまうけどね。で、さっきのセンター試験で出された漢文を読むだけだと、荘子の「無用の用」というのは、「世の中で役に立たなくてほおっておかれるから長生きできる」、そう受け取られるかもしれないけど、それは少し違うんじゃないかと思うんだ。

松村　といいますと。

北原　「不亀手（あかぎれ）の薬」にしても、「大瓠（ひょうたん）」の話にしても、常識的な目で見ると、これは使えないなと思うものでも、それとは違う、大きな使い方をすると使い道がある、そういうことなんじゃないかなと思うんだ。

松村　そうですね。「不亀手の薬」なんて、呉との戦いで役立てた人の話ですし、大びょうたんにしても湖に浮かべると役に立つという話ですよね。

北原　そうなんだ。「用＝役に立つ」とか、「無用＝役に立たない」といったことは、あくまでその時の、そこにいる人間が考えた基準だから、それにとらわれるな、そういったことが言いたいんじゃないのかな、て。この逍遥遊篇の最初に大鵬の話が出てきたでしょ。九万里もの高さに飛び立って、そこから見下ろした世界って、「ヒグラシ」や「コバト」でなくても、人間でもちっぽけなものに見えるはずだよね。

そんなちっぽけな人間が、あれは役に立つ、いやあれは役に立たない、とやっている基準なんて、それは決して絶対的な基準なんかじゃない、絶対的な基準があると考えることがそもそも間違いなんだ、自分が思う基準は絶対的なものではないんだということを常に意識をする、それこそ、この『荘子』のねらいなんじゃないかと思ってね。

松村　深いですね。わかったような、わからないような。

北原　学校で例えると、普段自分の授業の時に、きちんと前を向いて話を聞いている生徒や、積極的に発言する生徒、グループ学習でリーダーになってグループの意見をまとめている生徒、そうした生徒は「用＝役に立つ」と思うよね。

松村　そうですね、とってもいい生徒ですね。

北原　逆にいつもぼんやりしていて何を考えているかわからない生徒や、当てても「わかりません」とか、「もう一回質問を言ってください」という生徒は「無用＝役に立たない」と思うよね。

松村　ほんとに。腹が立ちますよね。

北原　確かに怒る気持ちはわからないでもないけど、その生徒が、国語の時間はさっぱりだけど、数学はとてもよくできる、クラスで一番か二番を争うような成績をとる、とか、あの生徒の数学的なひらめきってなかなかすごいよね、というのを別の先生から聞くと、その生徒に対する見方が変わるよね。

松村　うーん。

北原　もちろん数学だけでなくて、ほかの教科でもそうだし、部活動でも、〇〇大会で入賞した、県の総体で優勝したとかそういう話を聴いたり、表彰式の時にそういう姿を見たりすると、その生徒に対する見方が変わるよね。

松村　確かにそうですね。

北原　それ以外でも、クラスで何かを決める時、例えば委員を決める時なんかに、なかなか決めかねている時に、普段はおとなしい生徒がすっと手を挙げて引き受けてくれる、授業ではお目にかかれない光景が担任として生徒と接した時にそういった姿を見ることがあるよね。

松村　そうですね。私も初めて担任をした時に、生徒に助けられたことがあります。

北原　そういう生徒を見ると、「後生畏るべし」という言葉を思い浮かべるんだ。生徒だから、年下だからといって下に見るのではなく、生徒の中にもすぐれた人間、すばらしい人材はいる。それが見えた時には素直に敬服すべきだということかな。

松村　でも、先生。その「後生畏るべし」って『荘子』でしたっけ。

北原　ごめん、ごめん。「後生畏るべし」は『論語』にある言葉だったね。失礼。で、話を元に戻すけど、その生徒のことを「無用＝役に立たない」と思うようなことがあっても、それはその生徒の一面しか見ていないのではないか、そう思うことは大切なことだと思うんだ。だから、生徒に接する時には、ひょっと、「用＝役に立つ」とか、「無用＝役に立たない」と思っても、それはある一面しか見ていないのではないかという反省は常に持っておかないと、生徒を見誤ってしまうんじゃないかなと思うね。

松村　確かにその通りだと思います。私も生徒に接する時には、もしかして今この生徒に対して感じたことはその生徒の一面だけじゃないのかと思ってみて、他の先生とできるだけコンタクトをとってその生徒のいろんな面を把握したいと思います。

第三話　人籟（じんらい）　地籟（ちらい）　天籟（てんらい）

ある時、南郭子綦（なんかくしき）がぼんやりと机にもたれて
天を仰ぎながら大きく息を吐いていました。
その様子はまるで妻を亡くして心がからっぽになった人のようでした。
弟子の顔成子游（がんせいしゆう）がそれを見てたずねました。
「どうされたのですか。
まるで枯れ木が突っ立っているか、
火の気の失せた灰のようです。
机にもたれるそのお姿は以前とはかなり違いますが」

すると子綦は言いました。

「なかなかよいことを言う。

今ちょうど我を忘れた境地におったところじゃ。

おまえはそれがわかったのじゃな。

ところで、おまえは人籟は聞いたことがあるかもしれんが、

地籟はまだ聞いたことがないじゃろう。

地籟を聞いたことがあるとしても

天籟はまだ聞いたことがなかろう」

子游が「その天籟を教えてください」と言うと、

子綦は続けました。

「大地があくびするのを風という。

吹き起こらなければそれまでだが、
いったん起これればあらゆる穴が音を立てる。
おまえは遠くから吹いてくる風の音を聞いたことがあろう。
その風が山に近づけば、百囲えもある大木の穴という穴、
鼻や口や耳に似たもの、枡や杯、臼の形をしたもの、
浅い深い水たまりに似たもの、
それらに風が当たれば、
ゴーゴー、ビューービューーとさまざまな音がする。
前の風がビューービューーと鳴れば、
後の風がゴーゴーと鳴るといったぐあいだ。
そよ風には小さく、激しい風には大きく、といったところか。

ただ激しい風がやんだあとはすべての穴から音が消え、
調和のとれた状態に戻るだろう」
子游が「地籟は木々のあらゆる穴が音を立てることで、
人籟とは人が笛を奏でる調べですね。
では天籟とはなんでしょう」
子綦が言いました
「音立てるものはさまざまで同じではないが、
それはめいめいに任されているのだ。
その音を激しくするのはいったい誰か、
実は誰もいないんじゃよ」

南郭子綦几に隠れて坐し、天を仰ぎて嘘く。嗒焉として其の耦を喪ふに似たり。顔成子游前に立侍して曰はく、何ぞや。形固より槁木の如からしむべく、心固より死灰の如からしむべきか。今の几に隠れしは昔の几に隠れし者に非ざるなり、と。

子綦曰はく、偃よ、亦た善からずや。而の之を問へるや、今者吾我を喪へり。汝之を知るか。女人籟を聞けども未だ地籟を聞かず。女地籟を聞けども未だ天籟を聞かざるかな、と。

子游曰はく、敢へて其の方を問ふ、と。

子綦曰はく、夫れ大塊の噫気、其の名を風と為す。是れ唯だ作ること無きのみ。作れば則ち万竅怒号す。而独り之の翏翏たるを聞かざるや。山林の畏隹する、大木百囲の竅穴は、鼻の似き、口の似き、耳の似き、枅の似き、圏の似き、臼の似き、洼の似き、汚の似き。激する者、謞する者、叱する者、吸する者、叫する者、譹する者、宎する者、咬する者。前なる者は唱于にして随ふ者は唱喁。冷風は則ち小和にして飄風は則ち大和す。厲風済めば則ち衆竅虚と為す。而独り之の調調たる、之の刁刁たるを見ざるや、と。

子游曰はく、地籟は則ち衆竅是れのみ。人籟は則ち比竹是れのみ。敢へて天籟を問ふ、と。

子綦曰はく、夫れ吹は万にして同じからざれども其れをして己に自らしむるなり。咸く其れ自ら取るなり。怒する者は其れ誰れぞや、と。


（斉物論篇）

松村　先生、北原先生、何かボーとしておられますけど。
北原　あ、君か。どうした？
松村　「どうした？」じゃなくて先生、大丈夫ですか。だいぶお疲れの様子ですが、最近仕事が忙しいのではないですか。
北原　ああ、仕事はあいかわらず忙しいけど、大丈夫だ。少し心が離れていたようだな。
松村　「心が離れていた」だなんて、先生、また仙人のようなことを言って。
北原　いやいや、ところで、突然だけど、君は「人籟」というのを知っているかな。
松村　いいえ、聞いたことはありません。
北原　ということは地籟や天籟も聞いたことがないかな。
松村　はい、それも『荘子』にある言葉ですか。ぜひ教えてください。
北原　『荘子』第二篇の「斉物論篇」の最初にある言葉でね。「人籟」とは人が奏でる音のことで、放課後になると、あちこちで吹奏楽部がいろんな楽器を奏でる音が聞こえてくるけど、そうしたクラリネットやトランペットの音、打楽器の音、そんな音なんかはまさにそうだし、それから野球のグランドから聞こえてくる音もあるよね。バットでボールを打つ音、掛け声なんかもそうかな。いまこうやって話している話し声もそうだ。それ以外にも休憩時間になったら、楽しそうな笑い声や、生徒たちが走り回る音も聞こえる。こんなふうに人が関わって出る音がすべて「人籟」と言っていいんじゃないかと思う。

松村 それでは「地籟」は、人が出す音ではなくて、自然が出す音のことですね。

北原 そう、呑み込みが早いね。その通り。鳥のさえずりや虫の音、カエルの鳴き声、木々が揺れてざわめく音、それらがすべて「地籟」と言っていいんじゃないかな。

松村 それでは「天籟」というのはなんですか。

北原 それは少し難しいけど、「天」を「あるがまま」、と言いかえたら少しはわかりやすくなるかな。人が奏でる音、自然が打ち出す音、そうした様々な音をあるがまま、そのままに受け止めるということだろうね。

松村　あるがままに受け止めると言いますと。

北原　学校って外から見ると、毎日大きなできごともなく、静かに授業や行事が進んでいっているようだけど、学校の中では実にいろいろなことが起きているよね。

松村　そうですか。

北原　朝、クラスの生徒から電話があって、どこどこで事故にあいました。自転車で車と接触しました。そんな連絡が入ることがあるよね。

松村　そうですね。私のクラスでもありました。大あわてで病院に連れて行って検査を受けましたけど、なんともなくて安心しました。

北原　授業中に急に立ち上がったかと思うとトイレに行きたいという生徒もいるよね。

松村　はい、いますね。

北原　過呼吸で具合が悪くなる生徒もいるし。

松村　はい、このあいだ授業中にありました。これまで何回か過呼吸になったことがある生徒だったので、すぐにビニール袋を持ってきて口に当てさせたら落ち着きました。

北原　突然痙攣を起こして倒れた生徒がいて、担架でかついでいったこともあるよ。

松村　それはまだ経験したことがありません。

北原　授業をしていてもいろいろ困ったことがあるよね。年度の初めなんか、まだ生徒の名前と顔が一致しないので、こちらが一生懸命当てているのに、別の生徒の名前を呼んでいたり。

松村　あります、あります。とっても恥ずかしいですよね。

北原　それから、授業が意外と順調に進みすぎて、こちらが準備していたことがもう終わるのに、あと授業時間が五分も残ってる、っていうこともあるよね。あわてるよね。何をしゃべろうか、ひそかに冷や汗をかきながら、必死で考えていたり。

松村　確かにあります。私なんかしょっちゅうです。

北原　あと、配るはずの資料を忘れてきたり、枚数が足らなかったり、試験の時だったら大変だよね。このあいだ小テストを配ったら、生徒が何かざわついているんだ。ある生徒が「先生解答がついています」って言うから、その生徒のだけ変えようとしたら、全員分に解答がついている。

松村　それでどうしたんですか

北原　しかたがないから、解答を見ずにやりなさい。みんなを信用するからって。

松村　えーそうなんですか。それはちょっと私にはできません。

北原　学校っていろんなことが起こるけど、それは自分が原因で起こることもあるし、他人が原因で起こることもある。人じゃなくて天気や自然現象が原因で起こることもある。それをそのままあるがまま受け入れる、これが天籟かな、と思うんだけど。

松村　うーん。難しくてよくわかりません。

北原　そうね。さっきの解答付きの小テストの話だけど、もしこのミスの原因を追及していったら、そうなったのは私の確認不足ともいえる。でもそれを印刷して私に渡した人のミスでもある。それをはっきり決着をつけるとなると、最後には自分を責めるか、相手を責めるか、そういうところまでいってしまう。そういうことではなくて、「ああ長い教員人生、そんなこともあるんだな」って受け止めるほうがいいんじゃないか、そう思うんだけど。

松村　確かに、先生のおっしゃる通り、原因をつきつめていくと、どんどん人を追い込んでいくか、自分が追い込まれていくかですね。

北原　もちろん、何事も振り返って少しでもよりよくすることは大事なんだけど、でも長い教員生活、「あるがままに受け止める」こともありかなって思うよ。

【語源コラム　宇宙】（康桑楚篇）

連日のように、宇宙の話題があちらこちらのメディアに登場していました。日本の宇宙航空研究開発機構（ＪＡＸＡ）が開発した無人探査機「はやぶさ2」が、小惑星「リュウグウ」のクレーターから岩石標本を採取するための着陸に成功したというニュースです。

この「宇宙」という言葉はすでに『荘子』にあり、それは『荘子』のいう根源的な真理を指す「道」を説明する言葉として登場します。

実つること有りて処ること無き者は宇なり。長ずること有りて本剽無き者は宙なり。—真実なるはたらきはもちながら、その在りかを空間的に限定しえないものを「宇」すなわち無限の空間といい、悠久永遠でありながら本末始終の時間的な限定を超えていることを「宙」すなわち無限の時間という。（福永光司著『荘子』より）

「宇」は無限の空間、「宙」は無限の時間。有限な存在であるわれわれ人間は、無限の存在である「宇宙」に身をまかせることによって安らかな生を全うすることができる、というもののようです。

第四話　ハンセン病

われわれ人間は普段よいものをよいとし、よくないものをよくないとしている。
それはまるで人の往来によって自然と道ができるように。
そして物にはそれぞれいつのまにか名前があるように。
でも、何を「よい」としているんだろう。
それはみんなが「よい」というのを「よい」としているだけなんじゃないか。
じゃあ何を「よくない」としているんだろう。

それはみんなが「よくない」というから「よくない」としているだけなんじゃないだろうか。
物にはすべて物としての存在があり、物にはすべて物としてのよさがある。
となるとすべての物は存在を否定されることはなく、
すべての物はよくないと否定されることもない。
だからそのたとえとして、
横にわたす柱と縦に建てる柱、癘病患者と西施とが挙げられるんだ。
ふしぎなもの、怪しげなもの、
これらも「道」の前では「一」、
すべてが等しいものとされるんだ。

可を可とし、不可を不可とす。道は之に行きて成り、物は之を謂ひて然り。悪れか然りとする。然るを然りとす。悪れか然らずとする。然らずを然らずとす。物固より然る所有り。物は固より可なる所有り。物として然らざる無く、物として可ならざる無し。

故に是れが為に莛と楹、厲と西施とを挙ぐ。恢恑憰怪、道は通じて一と為す。

（斉物論篇）

松村　先生、この「ハンセン病」というタイトル、なんかおかしくないですか。

北原　え、どういうこと。

松村　だって、「ハンセン病」って、昔の中国じゃなくて、近代ヨーロッパのハンセンという人が、この病気が菌を介して感染する感染症だということを発見したからそう名づけられているんですよね。

北原　そうそう、よく知っているね。

松村　この香川県でも、高松市の沖合いにある大島という島に青松園という療養施設があって今でもそこに五十人余りの方がおられますよね。私も勉強のために一度だけですけど、行ったことがあります。

北原　そう。かつては遺伝する恐ろしい病気として隔離政策がとられたこともあった。治療できる病気とわかってからもう何年もたつんだけど、ハンセン病の患者さんや回復した人に対する差別や偏見はいまだに根強く残っているよね。

松村　そうですね。回復者の方の話を聞いたり、啓発のためのパンフレットや冊子で常に勉強したりしていかないといけないと思います。

北原　そうだね。

松村　ん。で、先生。なぜこれが『荘子』と関係あるんですか。

北原　じゃあ一つ聞くけど、ハンセンさんが感染症だということを発見したのはいつ頃の話か知ってる。

松村　うーん、それはわかりません。

北原　一八七三年に発見したとされている。ということは、それ以前はなんと呼ばれていたんだろうか。

松村　「らい病」ですか。

北原　そう「らい病」。すでに紀元前から世界各地でこの病気があったらしく、中国でも古くから「癩」という漢字を当てていたよ。

松村　先生、もしかして「癩」という漢字が使われている最も古い中国の古典が『荘子』だと言いたいんじゃないですか。

北原　だんだん私の好みがわかってきたみたいだね。そのとおり、と言いたいところなんだけど、残念ながら中国で最も古い記述は『論語』にあるんだ。孔子の弟子の冉伯牛（ぜんはくぎゅう）がかかっている病気がそうだと言われている。孔子がお見舞いに行って、その弟子の手を握ったという話が残っているね。

松村　この『荘子』の話はそうではないようですね。西施という女性と一緒に出ています。

北原　西施という人は、「臥薪嘗胆」の話として高校の授業で習うこともある、越王勾践と呉王夫差に関係ある人で、越王勾践が、呉の国力を弱めるための一つの方法として、夫差に美人として名高い西施を送ったところ、夫差は西施に惑わされて、政治を顧みなくなったと言われているね。国を滅ぼした原因ということで、傾国の美女とか傾城の美女とか言われているね。

松村　そんなに国を傾けるほどのきれいな人だったら、一度見てみたかったです。

北原　そうね、美しいものには心惹かれるし、醜いものは避けようとする。美しいものの代表として西施、醜いものの代表として癩があげられているんだけど、荘子が言いたいのは、それが同じだということだね。

松村　同じ、と言いますと。

北原　我々人間はとかく、これとあれとを区別して、ここが違う、あそこが違う、これよりもあれのほうがいいとか悪いというように区別して優劣をつけることが多いよね。

松村　そうでしょうか。

北原　例えば、A君とB君、国語の点数がA君は何点だけどB君は何点、とか、Cさんとさん、Cさんは何部のキャプテンだけどDさんはなにも部活動に入っていない、とか。

松村　そうですね。学校ではとかく区別して評価しがちですよね。

北原　国語や英語、理科や数学、教科や科目ごとに試験があって点数が付く。部活動でもそれぞれいろいろな大会やコンクールがあって順位がつく。学校は本当に区別をすることが多いよね。

松村　でも先生、学校は勉強を教えるところで、どれくらい生徒が理解しているかをテストで測るわけですから、どうしても人によって点差は出てきますよ。しかたないんじゃないですか。

北原　うーん、「しかたない」と考えたくないんだよね。

松村　だとしたら先生。一人ひとり考え方も感じ方も違うし、興味や関心も違う。卒業後の進路も違います。違うということがそれぞれの個性だからそれでいいんじゃないですか。

北原　そうだね。「それでいい」と感じることが、「違うことが同じ」ということなのかな。『荘子』にあるように、西施は美しいから価値が高いもので、癩患者は見た目が悪いので避けて当然、というのが間違っているということだろう。それはあくまで人が価値をつけたものであって、西施も癩患者も「人」という点では同じであるし、横にわたす柱も縦に建てる柱も「柱」という点では同じだ。「恢恑憰怪」というのも、怪しげなとか、いかがわしいという意味だけど、それも人間が価値づけたものに違いない。

松村　これまで誰かが良し悪しの価値をつけたことをうのみにして、その価値にとらわれること、それが問題なんですね。

北原　『荘子』とは大学時代に出会ったんだけど、教員になって初めてハンセン病について勉強することになったときに、いつもこの文章を思い浮かべていたんだ。ハンセン病患者やハンセン病回復者と接するとき、今自分の頭に浮かんできたことは、それは自分勝手な良し悪しの価値判断じゃないかどうか。

松村　本来差別がないはずのものに、自分で勝手に差別をしていないかどうか、常に確認してるってことですね。

北原　そうだね。その通りだね。

第五話　朝三暮四

苦心して一つにしようとするが
実は最初から同じであることを知らないのだ。
このことを「朝三」と呼ぶ。
何を「朝三」と言うのか。こんな話がある。
サルを飼っている男がある時、サルにトチの実をあげるのに
「朝三つで夕方四つ」と言った。
するとサルたちはみんな怒った。
じゃあということで

「朝四つで夕方三つ」と言うと、
サルたちはみんな喜んだ。
言葉は違っても実際は同じなのに喜んだり怒ったり。
やはり絶対の「是」に拠るのがよい。
だから聖人といわれる人は是も非も超えた境地に調和を求め、
天鈞――おのずから等しい境地に安らうのだ。
これを「両行」
――対立する二つのものが同時に行われるというのである。

神明を労して一と為さんとして其の同じきを知らざる、之を朝三と謂ふ。何をか朝三と謂ふ。曰はく、狙公芧を賦すに、朝三にして暮れ四と曰ふ。衆狙皆怒る。曰はく、然らば則ち朝四にして暮三と。衆狙皆悦ぶ。名実未だ虧けずして喜怒用を為す。亦た是に因らんのみ。是を以て聖人之に和するに是非を以てし、天鈞に休む。是れを之れ両行と謂ふ。

（斉物論篇）

北原　「朝三暮四」という話は知っているよね。

松村　はい、知っています。お猿さんが出てくる話ですよね。一年生の教科書の故事成語のところに載っていたので、この間授業で取り上げました。お猿さんの餌だったトチの実を減らさなくてはならなくなって、最初はわざと朝三つ、夕方四つにするがどうかと言って猿を怒らせるんですね。そしてそのあとすぐに、じゃあ朝四つにするが、そのかわり夕方は三つだぞ、と言うと、猿たちは三つから四つに増えたと思って喜んだ、という話ですよね。

北原　そうだね。こうしたお話から「目先の違いに心を奪われて結果が同じになることに気が付かないこと」とか、「ことば巧みに人をだますこと」と言った意味に使われます、と解説して終わりだよね。ただ高校の教科書にあるのは普通『列子』からとっているんだ。だけど、この話のもとは『荘子』の、それもさっきやった斉物論篇の中にあって、『列子』とは少し話が違うんだ。

松村　へえ、知りませんでした。授業では、先生がおっしゃったように「助長」や「虎の威を借る狐」「推敲」といった故事成語の一つとして、「朝三暮四」のお話の内容と、こんな意味で使われますよといったことを確認して終わりますね。『荘子』と『列子』とはどのように違うんですか。

北原　さっきも言ったように、この話は斉物論篇に出てくる話で、斉物論の「斉」は、一斉という熟語があったり、人の名前で「斉」と書いて「ひとし」と読ませたりするように、「等しい」という意味がある。さらに「天鈞」とか「両行」とあるように、物事を二つのものの対立として見るのではなく、その対立を超えたところにある、対立が等しく同時に成り立つ場を考える。そういう視点で物事を見るということを言いたいのじゃないかと思うんだけどね。

松村　例えばどういうことですか。

北原　そうね。学校には校則というのがあって、服装の規定なんかも学校によって事細かく決められているよね。ソックスでいうと、黒と白はＯＫだけど、紺やグレーはダメとか。もしそういう校則があったとしたら、濃紺はダメ、チャコールグレーはダメ。この色は黒に近いけどグレーになるのでダメ。これは光の加減で紺に見えるからダメ。こんなふうに○か×かをはっきりと決めないといけない。これを視点を変えて、つまり社会人として働く人間の視点で見るとどうなるだろうか。今は先生と生徒で、校則を守らせる側と守らされる側、というようにある意味対立する関係だけど、この高校生もいずれは自分と同じ社会人として社会の一員として仕事をする、一人の成人として扱う、という視点で見るというのが、対立が等しく同時に成り立つ場を考える、ということじゃないかなと思うんだ。もちろん先生である以上は校則で決められていれば、それを守るように指導するんだけど、こうした『荘子』の斉物論的な視点をもって生徒と接するのとそうでないのとでは心持が違うんじゃないかな。

松村　確かにそうですね。校則で決まっているから守れと言っているだけでは、言う方も苦しいし、言われる方はもっと窮屈ですね。

北原　ついでにこんな話もしよう。その昔、ある高校で担任をした時に、ある生徒が校則違反を繰り返して、学校をやめることになってしまった。学校の校則が絶対だと思っている人からすると、校則違反を繰り返す生徒は、学校と対立する悪い存在で、とても学校には置いておけないという発想になるんだろう。だけど、その生徒もいずれは働いて自立し、家庭を持って親になる。つまり一人の社会人になるはずだ。校則違反を繰り返す生徒は学校には置いておけない、というのは当時としてはしかたがなかったので、残念だったけど学校をやめていった。でもそんな彼のことを校則を守らない悪い人間と見て切って捨てるか、いずれは自分と同じ社会人になる人間という気持ちで見送るか、そこはかなり違うと思うな。

松村　それでその生徒さん、その後どうなったんですか。

北原　それがね、ついこの間、偶然に会ったんだ。子どもの運動会に参加していたら突然「先生、覚えていますか」って声かけられて。もちろんすぐわかった。フルネームもすぐ思い出せた。やはりずっと気になっていたんだろうね。「あの時はご迷惑をおかけしました。おれが悪いことをしているのに、先生がすみませんって頭下げてくれて。先生の大きさを感じました」って。今では彼はその立派な体格を生かして仕事のほうも順調で、地域でも頼られる存在になっていて、家庭を持ち親になって子どもの運動会に参加しているということだった。あの当時は先生と生徒として、つまり校則を守らせる側と校則を守らなければならない側とで、ある意味対立する関係だったけど、今はどちらも同じ年代の子どもを持つ親として同じ立場に立っている。子どもがその学校を卒業したのでそれきり会っていないけど、彼は決して校則を守らない、学校と対立する悪い人間ではなかった。こうした斉物論的なものの見方、考え方が間違っていなかったと確信したよ。

松村　すてきな話ですね。対立を超えて、その対立が同時に成り立つ場を考える、私も毎日の生活で心がけたいと思います。

第六話　影

罔両（影の外側にある薄い影）が影に聞きました。
「きみはさっき歩いていたかと思うと、止まり、
座っていたかと思うと、立ち上がる。
どうしてそう節操がないんだ」
影が言いました。
「僕には寄りかかる本体があってそうなるんだよ。
でも僕が寄りかかっているその本体もまた
寄りかかるものがあってそうなるんだ。

僕の寄りかかっているものは
例えば、ヘビでいうウロコかセミでいう羽かな。
どうしてそう動くのか、どうしてそう動かないのか、
そんなことはわからないんだよね」

罔両、景に問ひて曰く、曩に子行き、今子止まる。曩に子坐り、今子起つ。何ぞ其れ特操無きや、と。景曰く、吾は待つ有りて然る者か。吾の待つ所、又待つ有りて然る者か。吾の待つは、蛇蚹蜩翼か。悪んぞ其の然る所以を識らん。悪んぞ其の然らざる所以を識らん、と。
（斉物論篇）

松村　先生、このあいだ生徒主体の授業ができたと思いますので、ちょっと聞いてください。

北原　どんな授業。

松村　生徒が自分たちで調べたことを発表したんです。教科書に、日本語と日本人について書かれた文章があったんですけど、それを学習したあとで、日本語のどのような表現が日本人のどんな特徴につながっているか教科書以外の具体例を調べて発表するというものです。図書室に二時間ほど入れて、レポートという形で提出したあとで、みんなの前で発表してもらいました。みんな積極的によく調べてきちんと発表してましたよ。

北原　うーん、どうなのかな。

松村　先生、何を悩んでいるんですか。

北原　最近「主体的、対話的で深い学び」ってよく言われるけど、「主体的な学び」って何だろうと思ってね。

松村　「主体的な学び」ですか。生徒自身が自ら課題を設定して、自分で解決しようと試行錯誤するということだと思っているんですけど。

北原　確かにそうなんだけど、じゃあ、生徒だけにまかせて授業が成り立つかというとどうなのかなと思ってね。

松村　と言いますと。

北原　さっきの授業でも、先生のほうがいろいろと指示しているよね。まず教科書でそれに関連した文章を勉強しているし、「日本語のどのような表現が日本人のどんな特徴につながっているか教科書以外の具体例を」と、発表の内容を限定しているし。生徒たちは先生が出したそういう条件に合わせているんだよね。

松村　言われると確かにそうですね。この『荘子』の話にあるように、「寄りかかっている本体がある」ということですね。

北原　そうだね。だから、いくら「主体的」といっても、生徒に教科書だけ渡しておいて、じゃあ、あとは自分たちで課題を見つけて勉強してね。答えも自分たちで試行錯誤して見つけるんだよ、というわけにはいかないんじゃないかな。

松村　先生が芥川龍之介の「羅生門」の授業でされていた、教科書の文章を読んで、生徒自身がそこから問いと答えの両方を考えるというのではどうなんですか。「主体的」とは言えませんか。

北原　それでも、どういう問いがいいかはあらかじめ説明しないといけないし、生徒が考えた問いと答えがいいものかどうかは評価しないといけない。そういう意味では先生に頼っているということになるんじゃないかな。

松村　そうですね。困りましたね。

北原　もっと困るのは、影の外側にある薄い影が影に、そしてその影が人に寄りかかっているように、「寄りかかっているその本体もまた寄りかかるものがあってそうなるんだ」というのが『荘子』の考えだ、というところなんだよね。

松村　どういうことですか。

北原　生徒が「寄りかかっているその本体」と言えば、我々教師だよね。でもその教師もまた「寄りかかるものがあってそうなる」と言っているんだ。つまり、我々教師も実は『荘子』的に言うと「主体的」ではなく、何かに動かされているということだ。

松村　難しいですね。でもそう言われれば、そう思える時があります。

北原　というと。

松村　年度の始まりの時に教科主任の先生からこんなことを言われますよね。一年生はこの教科書を使ってください。週に二時間しかありませんから、最初はこの教材で次はこの教材、一学期の中間テストまではここぐらいまで進んでください。じゃあそれでお願いします、って。だいたい一年間のスケジュールというか、進度は決められますよね。

北原　そうだね。毎日の授業でも、やはり大事なところ、押さえるべきポイントはだいたい決まっているから、同じような授業になってしまう。そう考えると我々教師も何か「寄りかかるものがあってそうなる」と言えるかもしれないね。

松村　そうですね。それでこんなことも考えたんですけど。

北原　どんなことかな。

松村　今私はこの学校で国語の教師として生徒の相手をしてますけど、それって私が「主体的」に決めてこうなったことばかりではないような気がします。

北原　というと。

松村　私、高校まではなんとなく決められた道をまじめに進んでいました。高校時代に教師になりたいと思って大学に行き、そして大学卒業後に採用試験を受けましたけど、何回か受験してやっと正式に採用されたんです。ですから私の人生、必ずしもすべてが「主体的」だったとは言えない気がして。

北原　そうだね。もっと突き詰めると、この世にいつ、どこに生まれてきて、この世から、いつどのようにして離れていくかということになると、まったく「主体的」ではないよね。それを自分の人生として受け止めていかないといけない。この本の第三話に出てくる「天籟＝あるがままに受け止める」の話とも共通するところがあるかな。

松村　深いですね。人生とか、そういうレベルで物事を考えるときには『荘子』で言っていることはよくわかりますね。

北原　そうだね。哲学だね。

松村　ところで先生、話をもとに戻すようなんですが、じゃ生徒が「主体的」に授業に取り組むということはあり得ないんですか。そんな授業はできないんでしょうか。

北原　いやいやそれについては、学習指導要領なんかを見るとこんなふうに言えるんじゃないかな。学ぶときに生徒が興味や関心を持つようにすること。生徒が自分の将来や進路、生き方と関連させるようにすること。そして自分の学びを普段から適宜振り返りをさせること。そうした視点で授業改善をしていくことが「主体的、対話的で深い学び」で要求されていることかなと思うんだけどね。

松村　そうですか。それなら私でもなんとか生徒が「主体的」に取り組む授業ができそうです。

第七話　胡蝶

ある時、荘周は自分が蝶になった夢を見た。
それはまさしくひらひらと飛ぶ蝶であった。
気持ちよく舞い、いかにも満足げで
自分が荘周であることにまったく気づかなかった。
突然、目が覚め、荘周は自分が荘周であることに驚いた。
果たして、自分が夢で蝶になっていたのか
それとも蝶が夢で荘周になっていたのか
それはわからない。

荘周と蝶とは違うものだ、というが
これは「物化」と言えるのじゃないかな。

昔者（むかし）、荘周夢に胡蝶と為る。栩栩然として胡蝶たり。自ら喩しみ志に適するかな。周たるを知らざるなり。俄にして覚むれば、則ち蘧蘧然として周なり。周の夢に胡蝶と為りしか、胡蝶の夢に周と為りしかを知らず。周と胡蝶とは、則ち必ず分有り。此を之れ物化と謂ふ。

（斉物論篇）

北原　『荘子』の中ではこの話が一番有名だろうね。

松村　そうですね。古典の教科書には必ずと言っていいほど載っていますね。だいたい高校二年生で習うくらいですかね。

北原　そうね、一年生では『論語』や『孟子』を習って、二年生はそれを含めて諸子百家の人たちの代表的な言葉やお話がいくつか取り上げられるよね。その中でこの「胡蝶」の話はある意味『荘子』を代表する話として取り上げられるね。

松村　ひらひらと蝶のように宙を舞うことができたら楽しいでしょうね。私が夢の中で蝶になっているのか、それとも蝶の夢の中で私になっているのか、ふんわりとしていい話ですよね。

北原　そうだね。蝶になってひらひらと舞っている様子や、現実と夢との区別がつかないと言っているところなんかは、無為自然とか、「行雲流水」、風に従って流れていく雲や川幅によって流れる水、そういうイメージを抱かせるので人気なのかなと思う。老荘の思想をイメージ的に表している話だね。ただこの話の中で注目したいのは「物化」という表現だね。

松村　「物化」ってどういう意味ですか。物の変化？

北原　そう、そのまま置きかえると物の変化だろう。世間的な常識では荘子と蝶とは全く別物だ。だけどこの話では、荘子と蝶とがつながっているということなんだろうな。

松村　でも先生、実際に蝶が夢を見るなんてことはなさそうですし、ましてその夢の中に自分がいるなんてことは現実にはあり得ないことですよね。

北原　そうだね。これをそのまま蝶の夢を見た話ととらえると難しいかもしれない。もう少し現実に引き寄せて話をすると……、そうだな、こんなのはどうだろう。私は今五十八歳なんだけど、当然四十年前は高校生で……

松村　えー先生にも高校生の時代があったんですか。信じられません。

北原　そんなところで高校生みたいなつっこみを入れない。

松村　でも先生の今の姿からはとても想像できません。

北原　まあ確かにそうだろうけどね。で、これも当たり前のことだけど、その十数年前は赤ちゃんだった。赤ちゃんの時の私と今の私、昔の面影が残っているところはあるかもしれないけど、体格や髪の毛、肌のつやなど似ても似つかない、まったくの別人の姿をしているよね。でもどちらも私、同じ一人の人間が変化したものだよね。

松村　ああ「物化」というのはそういうことですね。

北原　同じように、学校で仕事をしていたり、授業をしていたりするのも私自身なんだけど、家でくつろいで本を読んでいたり、洗い物やゴミ出しをしたりするのも私なんだ。家族と一緒にショッピングモールにでかけておしゃべりしながら買い物を楽しんでいるのも、一見別人のようだけど、私に違いはないんだ。

松村　さっきが時間の変化、縦の変化だとすると、今のお話は横の変化ですね。

北原　そうそう、よくわかる言い方だね。この話は斉物論篇の一番最後に置かれている話だということも知っておいてほしい。斉物論の「斉」とは、「一斉」という言葉があるように、一つであるということ。つまり、一見まったく別のように思えるかもしれないけど、どれも私ということでは一つ、同じ人間だ。赤ちゃんの時におしめをしていて、小学校の時には体が弱く泣き虫で、その後大学を卒業して、高校の先生をやっている。そうかと思うと休みの日に子どもと手をつないで買い物をしていたりもする。すべて同じ一人の自分だということに気づくと、ちょっと恥ずかしい言い方だけど、自分というのが愛しく思えてこないかな。

松村　先生が言われること、よくわかりました。この「胡蝶の夢」の話は、授業では何となくふんわりと終わっていましたけど、そうとらえることができるんですね。つらい時にはなんで自分ってこうなんだろう、なぜうまくいかないんだろうって、自分を情けない人間だと思ってしまいますけど、自分の人生、すべて自分ですよね。すべて同じ自分であることを引き受けて生きていくことは大事ですね。

第八話　庖丁の話

料理人の丁さん、
ある時文恵君に頼まれて牛を一頭さばきました。
手の触れる所、肩のよりかかる所、足の踏む所、膝の当たる所、
ばりばりと皮と肉が離れる音がし、
刀を進めていくと、
ばさばさと肉が落ちていく音がしました。
それはまるで殷の湯王が作った桑林の舞のようで、
昔の聖人である堯が詠んだ経首の詩のリズムにぴったりでした。

「いや、実にすばらしい。技もここまでになるとは」
文恵君が言いました。
すると丁さんは刀を置いて、言います。
「私がめざしているのは道です。
それは技より進んだものでございます。
私がこの仕事を始めたころ、目に入るのは牛の姿ばかりでした。
三年たってようやく牛全体が目に入ることはなくなりました。
今は心で牛と向き合っていて、決して目では見ません。
目の働きが止むと心が働きます。
自然の筋目に従い、大きな隙間に刀を入れ、
大きな穴に刀を導いていきます。

牛の体に従って刀を進めますので
堅い筋にぶちあてるようなことはありません。
大きい骨などはなおさらです。
腕のよい料理人は一年ぐらいで刃を替えます。
筋を切るからです。
月並みな料理人はひと月ほどで刃を替えます。
骨に当てて折るからです。
私の刀はこの十九年、数千頭もの牛をさばきましたが、
たった今砥石で研いだばかりに見えます。
ただ、筋の集まったところは難しく、細心の注意を払います。
眼は吸い付けられ、手の進みはゆっくり、

刀を動かすのも少しずつ。
肉が骨からはらりと離れると、
土が大地に落ちるようにドサっと落ちます。
そこで私は刀をひっさげ、あたりを見回し、
満足げに、刀を拭いておさめます」
文恵君はこの話を聞いて言いました。
「なんと立派な。
わしは庖丁の話を聞いて、生を養う道を会得した」と。

庖丁、文恵君の為に牛を解く。手の触るる所、肩の倚る所、足の履む所、膝の踦（かがま）る所、砉然嚮然たり。刀を奏（すす）むること騞然たり。音に中らざる莫し。桑林の舞に合ひ、乃ち経首の会に中（あた）る。

文恵君曰く、譆（ああ）、善きかな。技蓋し此に至るか、と。庖丁刀を釈（お）きて、対へて曰く、臣の好む所の者は道なり。技より進む。始め臣の牛を解く時、見る所牛に非ざる者無し。三年の後、未だ嘗て全牛を見ず。今の時に方（あた）り、臣神を以て遇して、目を以て視ず。官知止まりて神欲行く。天理に依り、大郤を批し、大窾に導く。其の固より然るに因り、技の肯綮を経ること未だ嘗てせず。而るを況んや大軱をや。良庖は歳ごとに刀を更（あらた）む。割けばなり。族庖は月ごとに刀を更む。折ればなり。今、臣の刀は十九年なり。解く所は数千牛なり。而るに刀刃は新たに硎より発せしが若し。

然りと雖も、族に至る毎に、吾其の為し難きを見、怵然として為に戒む。視為に止り、行為に遅く、刀を動かすこと甚だ微なり。謋然として已に解け、土の地に委するが如し。刀を提げて立ち、之が為に四顧し、之が為に躊躇し、志を満たし、刀を善（ぬぐ）ひて之を蔵む、と。

文恵君曰く、善きかな。吾庖丁の言を聞き、生を養ふを得たり。

（養生主篇）

松村　ああ、やっと今日の授業が終わりました。今日は一日ずっと授業があって、本当にしゃべりっぱなしでした。とっても疲れました。

北原　そうかなあ。私も今日は授業がたくさんあったけど、そんなに疲れていないよ。

松村　え、そうですか。先生は体力があるんですね。

北原　そうじゃなくて、最近は授業でできるだけしゃべらないようにしているんだ。

松村　授業中しゃべらなくて授業になるんですか。どうしてしゃべらないんですか。

北原　それはね、生徒からある時、「先生のしゃべっている声を聴くと眠くなります」と言われてね、それでなるべくしゃべらないようにしているんだ。というのは本当にあった話なんだけど、それとは別に先生が一方的に講義をする授業に疑問を感じ出してね。

松村　あ、それはアクティブ・ラーニングと言われるものですね。

北原　最近は「主体的・対話的で深い学び」と言われているけどね。

松村　ところで先生、それとこの『荘子』とどういう関係があるんですか。

北原　この話に出てくる庖丁という人、「庖」は料理人という意味で、「丁」がこの人の名前、だから料理人の丁さんなんだけど、今の包丁の由来になった人だけに、包丁さばきの名人なんだ。

松村　といいますと。

北原　使っている包丁が十九年も刃こぼれ一つしてないっていうんだ。それはなぜかというと、包丁を使って牛を解体するのに、その骨と肉との間にはすきまがあって、そのすきまに上手に刃をもっていくと、刃を傷めずに自然と肉と骨とが分かれていくからだというんだ。

松村　へえ、骨と肉との間にすきまがあるなんてことは初めて知りました。

北原　もちろんそのすきまというのは、あったとしても実際にはほんのわずかなものであって、そのうえ、牛の体の中に包丁を入れると、もう何も見えないんだから、その「すきま」に刃を通すというのは何年、何十年もの訓練ののちにできる至難の技だと思うよ。だから「進乎技矣」と表現している、これは「技より進めり」と読んだり、「技を進えたり」と読んだりするけど、それは技のレベルを超えたものなんだろうな。私が今勤めている学校の剣道部では練習の時に着るTシャツの背中にこの四文字があしらってあるんだ。技を磨くだけでなく、技を超えた境地にまで達することを願ってのことかなと思いながら、生徒たちが熱心に練習する姿を見ているよ。機会を見つけて『荘子』のこの話をしたこともあったよ。

松村　『荘子』の言葉が高校の普段の活動の

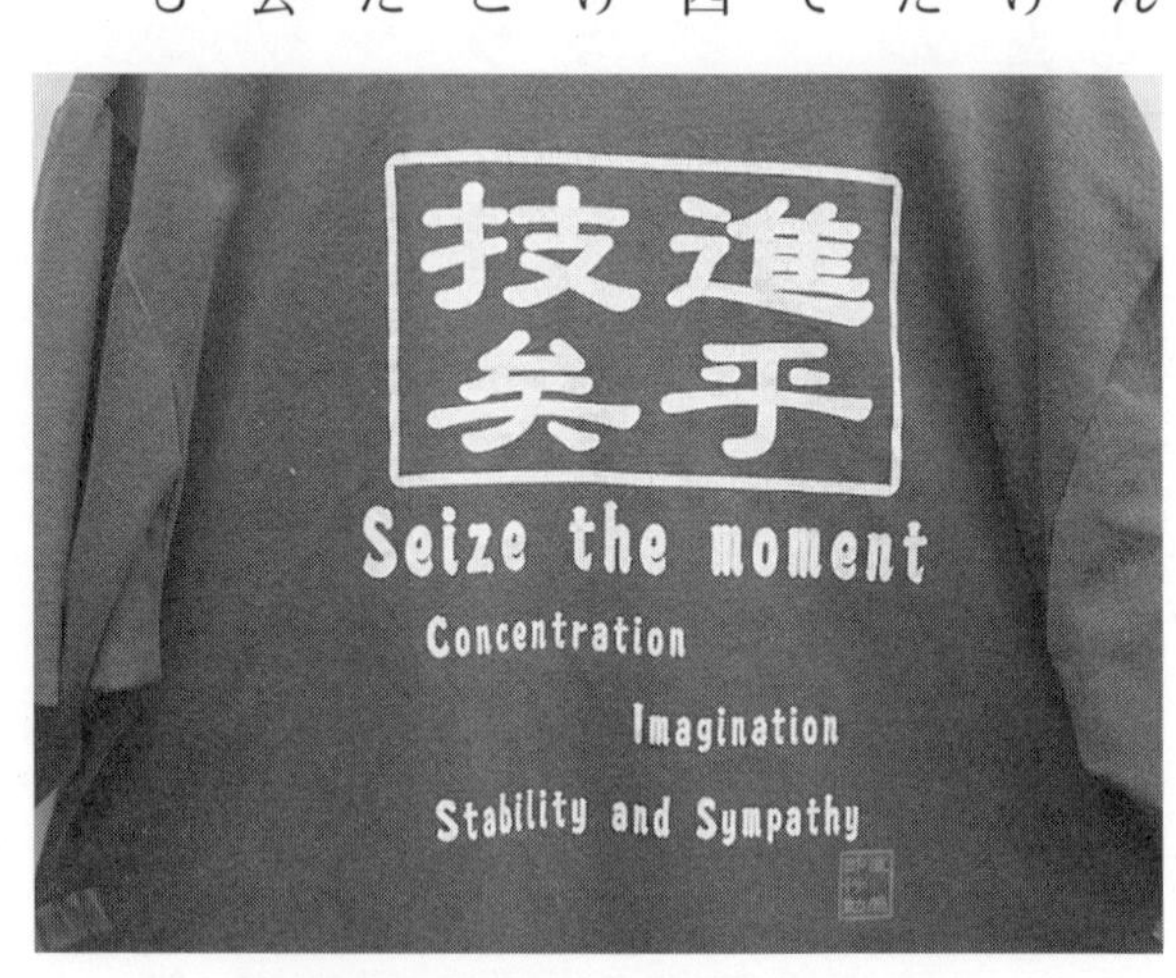

香川県立高松桜井高校剣道部のTシャツ

中で使われているなんてすてきですね。

北原　さて、もちろんこの料理人の丁さんほどの技は持っていないけど、長年授業をやってきていると、こちらがすべてを伝えなくても、生徒たちが自分で気づく。その、なんていうか、タイミングというか、もっていき方があるように思うんだ。

松村　もう少し具体的に教えていただけますか。

北原　このあいだ一年生の授業で芥川龍之介の「羅生門」を取り上げたんだ。一年生では定番と言ってもいい教材だよね。これを授業でどう取り上げようかと思ったときに、たまたま少し前のページに「物語の文法」という教材があって、物語の一つのパターンとして、主人公がこちら側からあちら側に行って帰ってくるというパターンがあると書いてあった。生徒にはこの「羅生門」をそのパターンに当てはめて読みなさい、というと、一生懸命考えていたね。そして、頃合いを見計らって、自由に議論を交わしたり、グループを組ませて発表させたりすると、こちらが説明しなくても、いい答えが出たりする。

松村　すごいですね。

北原　それから、ちょっと冒険だと思ったけど、問いと答えを自分で考えなさい。ただし、「羅生門」の内容が読み取れるような問いと答えだよ。そう生徒たちに投げかけてみたんだ。すると、不思議なことに、いくつか出た問いと答えの中には、こちらが試験問題で出してもいいな、と思うほど、的を射たものが出てきたよ。「羅生門」を読み解くすじみちというか、そうしたことに関わるすぐれた問いと答えがでてきたんだよね。私はグループ分けを考えたり、生徒が板書するタイミングを指示したり、それをするだけで、生徒が上手に質問と答えを作ってくれたんだ。

松村　へえ、でもそれはそれまでに丁さんと同じように訓練があったからではないんですか。

北原　確かにね。さらにそのもうひとつ前の教材では、こちらがプリントを作っていて、そこには本文を読み解くための問いと答えをあらかじめ準備していた。そして、それぞれの問いの意味、なぜそういう問いを作ったか、またどうやって答えを導き出すか。そうしたことも授業中にやったかな。そうした訓練があったからこそできたのかもしれないね。

松村　そうですね。的確な訓練を積んでいくと自分たちで話の筋道をみつけ、それに合う問いと答えを導き出すことができるんですね。

北原　最近学校ではファシリテーターといって、教員も一方的に講義をする人でなくて、生徒たちが自ら考えられるように自然に導いていく人だというように、役割が変わっていっているようだね。

第九話　赤ちゃんのように

顔闔（こう）が衛の霊公の太子の補佐役になりました。
赴任する前に、蘧（きょ）伯玉にたずねました。
「ここにある人がいたとして、
その人は殺伐とした性格をしています。
いっしょに道にはずれたことをすれば吾が国を危くしますし、
いっしょにまともなことをすれば吾が身を危くします。
他人の過失はよくわかるのに、
過失の原因まではわからないのです。

そうした人に接するのはどうしたよいでしょうか」と。

蘧伯玉が言うには

「よいことをお尋ねになった。

よくよく注意して身を正すことですな。

親しい態度をとり、逆らわぬ心をもって接するのが最良です。

しかしながらこれには注意が必要です。

親しさは深すぎてはいけません。

逆らわぬ心は外に出してはなりません。

親しさが深くなって相手にまきこまれると

こちらはひっくりかえってしまうし

逆らわぬ心が外に出ると

こちらに悪い評判が立ち、災いを受けることになります。
相手が赤ん坊のようにだだをこねようというのなら
あなたも赤ん坊のようにだだをこねなさい。
相手が限界を超えようとするなら
あなたも限界を超えようとしなさい。
相手が思うままに行動しようとするなら
あなたも思うままに行動しようとしなさい。
こうしたことができれば
災いをこうむることはありますまい」

顔闔将に衛の霊公の太子に傅たらんとし、蘧伯玉に問ひて曰く、此に人有り。其の徳天殺なり。之と無方を為せば則ち吾が国を危くし、之と有方を為せば則ち吾が身を危くす。其の知適（まさ）に以て人の過ちを知るに足り、其の過つ所以を知らず。然るが若き者、吾れ之れを奈何せん、と。

蘧伯玉曰く、善きかな問や。之を戒め之を慎み、女（なんぢ）の身を正さんかな。形は就くに若くは莫く、心は和するに若くは莫し。然りと雖も、之の二者に患有り。就くは入るを欲せず、和するは出づるを欲せず。形就いて入らば、且に顛と為り滅と為り、崩と為り蹶と為らんとす。心和して出づれば、且に声と為り名と為り、妖と為り孽と為らんとす。彼且に嬰児と為らんとすれば、亦之と嬰児たれ。彼且に町畦無きを為さんとすれば、亦之と町畦無きを為せ。彼且に崖無きを為さんとすれば、亦之と崖無きを為せ。之を達せば、疵無きに入らん。　（人間世篇）

松村　北原先生、ちょっとご相談があるんですけど。
北原　どうしたの、深刻な顔して。
松村　先生、A君って知っていますか。
北原　ああ、知ってるよ。そのクラスの授業には行ってるからね。とっても元気な生徒のようだね。
松村　そうなんです。元気というか、元気が有り余っているというか。
北原　ところで、そのA君がどうしたの。
松村　そのA君がなかなか掃除をしないんです。
北原　というと。
松村　掃除の時間、走り回ったり、ほうきを振り回して遊んだり、友達とふざけたことを言い合ったりして、注意しても全く聞く耳持たないっていうか。
北原　そりゃ大変だね。で、いつもなんて注意するの。
松村　「ちゃんと掃除しなさい。掃除の時間なんだから掃除をしないとダメでしょ」

という具合ですかね。いろいろ言うんですけど、彼には全く通じないみたいで。私何か間違っているんでしょうか。

北原　間違ったことは言っていないよ。掃除の時間に掃除をしなさいだから。

松村　でしょ。もうどうしたらいいかわからなくて。

北原　そうそう、もうかなり昔の話だけど、若い時にね。こんなことがあったんだ。担任のクラスの生徒の中で、なかなか掃除をしない生徒がいてね。やんちゃで、体を動かすのが大好きで。ある日の掃除の時間、その生徒と追いかけっこをすることになって。

松村　掃除の時間に追いかけっこですか。どうしてそんなことになったんですか。

北原　その生徒がなかなか掃除をしないから、いつものように、掃除をしろ、って言う。生徒は当然掃除がいやで、さぼろうとしているので、逃げる。逃げた生徒を追いかける、また逃げる。追いかける。その繰り返し。掃除の時間、学校の中庭じゅうを走り回ったかな。

松村　相手は高校生でしょ、先生よく走れましたね。
北原　走ることに関しては生徒に負けない自信があってね。まだ三十代前半だったし。もうかれこれ三十年近く前だね。今じゃとても無理だけど。で、走るときに『荘子』のこの文章は頭にあったね。
松村　走りながらでも『荘子』に書いてあることを思い浮かべてたんですか。
北原　走っている途中は夢中で走っていたけど、追いかけようと思い立った時には確かにこの話が頭をよぎったように思うよ。
松村　へえ、先生すごいですね。で、生徒を追いかけたこととこの『荘子』の話とどういう関係があるんですか。
北原　その生徒のまねをしようと思って。
松村　え、まねですか。
北原　そう、その生徒はいつも逃げ回っていた。「早く掃除をしろ」と言うと、嫌だよ、というように、いつも逃げていた。だから、逃げるんだったら、こっちも徹底的に追いかけてやろう。というか、生徒が走り回るのに、こちらも全力で付き合おう、そういった方が近いだろうか。とにかく、その生徒がするのと同じようにしようと思ったんだ。ちょうどこの話にあるように、その人が赤ん坊のようにだだをこねるんだったらいっしょにだだをこねよう。その人がでたらめな行いをするのであれば同じようにでたらめな行動をしよう。その人がいいかげんな行動をとるのならこちらもいいかげんに振る舞おう。そうすることで、こいつはひょっとして自分の仲間かな、と思うようだったら、初めてこちらの言うことが通じるようになり、しだいに正しい方向に導くことができるんじゃないかなって考えたんだ。

松村　それでその生徒は掃除をするようになったんですか。

北原　そこんとこは今ではよく覚えてないんだけど、しばらくしてからかな、「おれ、先生のこと好きやで」と言ってくれたんだ。それは今でもはっきり覚えてるよ。その生徒と何かしら通じ合えたというか、こちらの言うことに少しは耳を傾けてくれそうな感じがしたというか。

松村　うーん、なかなか私には難しいですね。

北原　ところで、授業中ほかごとをしている生徒、たとえば他の本を読んでいる生徒を見かけたことあるかな。もしそんな生徒を見かけたらどうする。

松村　もちろん、注意します。その場で取り上げるかもしれません。

北原　確かに授業中にほかごとをするのはよくないことだね。だけど、私はすぐに取り上げることはしない。まずその本がどんなことが書いてあるのか、興味を持って聞いてみるだろうね。

松村　え、授業中にですか。

北原　授業を進めながらその生徒の様子をよく観察していて、「はい、じゃあ各自でこの問題を解きなさい」と言っておいて、他の生徒が問題を解いている間に、そおっと近づいて、中をのぞき込んだり、表紙を見たり。で、もし内容を聞き出せたら必ず共感するようにしている。「へえおもしろそうだね」としか言えない時もあるけど。とにかく、あ、見つかった、やばい怒られる、と思っている相手に、なるべくショックを与えないように、共感する態度を見せる工夫をするかな。

松村　で、その生徒はそれ以降、授業中に本を読まなくなりましたか。

北原　いや、なかなかならないね。

松村　先生それじゃ効果がないじゃないですか。

北原　でも、その生徒、掃除するようになった。この間の文化祭の片付けの時、普段は掃除もあまりしない彼が、ごみを拾ったり、ほうきで掃いたり、ベランダの机やいすを率先して教室に運び入れたり、クラスで一番働いていたかな。私の言うことを聞いたのか、時間があって急いでいたのか、それはわからないけど、よく動いてくれて助かったよ。その場ですぐ効果は出ないけど、ある時ふとつながることがあるような気がする。

松村　そうですね。さっきのA君にも気長に付き合ってみようと思います。

【語源コラム　心斎】（人間世篇）

大阪の繁華街「心斎橋」。かつてはその名の通り橋が架かっていたようですが、今は川が埋め立てられ、昔をしのぶように、橋柱が残されているだけになっています（写真1）。この橋が心斎橋と名付けられたのは、江戸時代、一六二二（元和八）年に、長堀川を開削した四人のうちの一人で、ここに橋を架けた岡田心斎に由来するとされています。彼は二度にわたる大坂の陣で荒廃した大坂の復興に商人として尽力したと言われています。

さて、その「心斎」、実は『荘子』人間世篇にある、顔回と孔子との問答として設定された中に出てくる言葉です。顔回がある人の心を正そうとして、その方法を孔子に問い詰められ、ついには孔子から「心斎＝心のものいみ」、つまり、雑念を取り払い、己を虚しうせよと言われるところです。岡田心斎は己を虚にして大坂の復興に当たったのでしょう。

心斎橋は明治になって日本で五番目の鉄橋になり、それは今でも大阪花博の跡地、鶴見緑地公園の緑地西橋として残っています。（写真2）

写真１　現在の心斎橋。礎石に「志んさいはし」とある

写真２　今に残る、明治６年に作られた心斎橋

第十話　明鏡止水

孔子が言った。
人間誰しも流れる水に自分の姿を映すものはなく、
静かに澄んだ水面をこそ鏡とするだろう。
そのようにただ動かないもののみが
動かないことを欲するすべてのものを不動とするのだ。
命を地に受けた樹木の中でただ松や栢だけが正しい気を受けて、
冬でも夏でも青青としている。
命を天に受けた人間の中でただ堯と舜だけが正しい気を受けて、

万物の始めにいるのだ。
幸にも自分を正しくしてそしてみんなを正しくしているのだ。

仲尼曰く、人は流水を鑑とすること莫くして止水を鑑とす。唯だ止のみ能く衆止を止む。命を地に受けたるは唯だ松栢のみ独り正しく、冬夏青青たり。命を天に受けたるは、唯だ堯舜のみ独り正しく、万物の首に在り。幸に能く生を正しくして以て衆生を正しくす。（徳充符篇）

松村　先生、先生っていつも落ち着いているように見えるんですが、何か秘訣があるんですか。あるんでしたらぜひ私にも教えてください。

北原　え、そうかな。自分ではそうは思わないんだけど。

松村　自分ではそう思わないかもしれませんけど、先生は少々のことでは少しも動じないように感じます。

北原　動じないかどうかわからないけど、そういえばこのあいだある先生からこんなことを言われたなあ。

「私、北原先生が走っているのを初めて見ました。六年間も同じ学校に勤めていて初めてです。びっくりしました」って。

松村　あ、それ、わかるような気がします。先生、何があっても走りませんよね。

北原　そうかな。

松村　そうですって。

北原　その時は、体育館で創立記念講演の準備をしないといけなくて、空き時間が一時間しかなくて、演台を出したり、スクリーンを下ろしたり、プロジェクタにパソコンをつないでパワーポイントの資料を映し出したり、たくさんすることがあったから、体育館の中を走ったような気がする。でも改めて言われると、普段から走っていない、というか、なるべく走らないようにしているかな。

松村　どうして走らないでいられるんですか。教員の仕事ってたくさん、というか、いろいろな種類の仕事があって、あれもこれも次々とこなさないといけませんよね。

北原　そうね。いろいろあるね。

松村　でも先生は、走らないように努力しているんですよね。

北原　うん。なるべく走らないようにしている。走ると、確かに目的地には早く着く。これをどこそこに持っていこうとか、あそこに行って誰先生にお願いしようとか。

松村　そうですね。

北原　でも、その一つのことしか目に入らない。
松村　うーん。そうかもしれません。
北原　逆に、ゆっくり歩いて移動すると、ほかのことが見えてくる。
松村　といいますと。
北原　あ、こんなところにこんなポスターが貼ってあるんだ。このキャッチコピーはなかなかすてきだなとか。
松村　なるほど。
北原　「保健だより」が新しくなったな。今回の特集はインフルエンザの予防策か。うがいと手洗い。当たり前のことだけど気をつけないといけないな、とか。
松村　そうですね。
北原　あ、こんなところにペンキが落ちてる。今まで気づかなかったけど、掃除の時間にきれいにしておこう、とか。
松村　へえ。ほかには。

北原　あと、休み時間だったら、生徒の様子が目に入ってくるよね。あの生徒いつも明るく元気なんだけど今日は何か元気がなさそうだ、どうしたのかな、とか。何か楽しそうにしゃべっているけど、何話しているんだろう、ちょっと聞いてみよう。とか。

松村　そんなことを考えながら歩いているんですね。初めて知りました。

北原　走って急ぐと確かに今やろうと思う一つのことは片付くんだけど、ほかのことに気がいかなくなるというか、やはりゆっくり歩いてほかのことまでちゃんと見よう、受け止めよう、そのほうが豊かな毎日が送れるような気がしてね。

松村　よくわかりました。まさにこのお話にある通り、「静かに澄んだ水面をこそ鏡にする」ということですね。ゆっくりと歩いて、心が静かだからからこそ、心が穏やかで、目に映るものすべてを受け止められるんですよね。

北原　そうだね。あとゆっくり歩いていると、頭の中が少しずつ整理されるように感じる時があるんだ。

松村　と言いますと。

北原　最近よく言われるけど、睡眠中も脳は働いていて、その働きというのは、起きている間に入った情報を整理しているんだって。だから睡眠ってとっても大切だということを聞いたことがあるね。心を穏やかにしていると、それだけで頭の中が整理されてくるように感じることがあるよ。

松村　ところで、先生。じゃあ、忙しいのにゆっくり歩けるのはなぜですか。その秘訣を教えてください。

北原　え。

松村　忙しいのにゆっくり歩けるのには、何か秘訣があると思うんです。その秘訣をぜひ私に教えてください。

北原　忙しいのにゆっくり歩ける秘訣ねえ。しいて言えば毎日書き替えてるメモかな。

松村　メモですか。どんなメモなんですか。手帳ですか。

北原　いや、手帳じゃなくて、ただ単にＡ４の紙を半分に折って、そこにその日することを時間順に書いただけのものなんだけどね。職員朝礼の前までにしておくこと。朝のショートホームルームで忘れず連絡しておくこと。授業の時間帯とクラス、それぞれの準備物。そんなのも順番に書いているね。それから空き時間がある時はその時間に何をするか。放課後は何か。それぞれ優先順位をつけてメモしている。この先一週間や二週間の予定も書いているんだ。コンパクトにたためてポケットに入れて持ち歩けるし、ちょっとした思い付きや頼まれごとでもその場でどんどん書き込める。終わったことは線を引いて消していけばちょっとした達成感もある。一日の終わりには新しい紙に次の日の予定を書き込むんだ。もう二十年以上このやり方をやっているよ。

松村 へえ、手帳を持って歩いている方はいますけど、先生は手帳ではないんですね。

北原 手帳だとページをめくらないといけないし、すぐ必要じゃない情報もあるし。やはり紙一枚の方が便利だな。いつもそのメモを見たり、書いたりしながら動いているので、途中で通りかかる事務室や研究室での用事も一緒に済ませることもできる。そういう意味では一度に三つくらいの仕事を済ませることもあるね。

松村　そんな簡単で便利なものがあるなんて知りませんでした。私もさっそく試してみたいと思います。ありがとうございました。では、失礼します。

北原　おーい、大切なのはメモじゃなくて「静かに澄んだ心」だからね。わかってるかあ。ああ行っちゃった。

【語源コラム　虚往実帰】（徳充符篇）

「虚にして往き実ちて帰る」。この言葉は、密教の教えを求めて唐に行った弘法大師空海が、恩師である恵果和尚の遷化に際し、弟子を代表して記した追悼文「大唐神都青龍寺故三朝国師灌頂の阿闍梨恵果和尚の碑」にあると言われます。追い求めていた密教の教えを、十分に日本に持ち帰ることのできた、そういう思いが空海にあったのでしょうか、帰国後の空海に縁のある所には「虚往実帰」の碑が建っているようです。今のところ、空海が帰国の際に流れ着いたとされ、西の高野山といわれる長崎五島列島の福江島の大宝寺、四国八十八カ所二十三番札所の太龍寺、高野山金剛峰寺にあるということがわかっています。

四国遍路二十三番札所太龍寺にある「虚往実帰」の碑

この言葉はもともと『荘子』の徳充符篇に見られます。王駘（たい）という、足切りの刑に処せられた人のところに、なぜか弟子が数多く集まって来る。しかし王駘は何を教えるわけでもなく、弟子たちと議論するでもありません。それでも弟子たちは王駘のところに来てそこから帰るときには「虚にして往き実ちて帰る」、何かしら得るところがあったように満ち足りて帰途につくようです。あの孔子でさえゆくゆくは師として仰ぎたい、そう『荘子』では語ったことになっています。

第十一話　莫逆の友

ある時、子祀、子輿、子犁、子来の四人が出会って
話をすることになりました。
無を首とし、生を背骨とし、死を尻とし、
死生存亡が一つであることを知っているのは誰だろう。
そんな人と友だちになりたいものだ、と。
四人は顔を見合わせて笑い、意気投合して、
そのまま友だちになりました。

まもなく子輿が病気になりました。
子祀がお見舞いに行くと、子輿がこう言いました。
「あの造物者は偉大だなあ。
私の体をこんなにも曲げてしまった。
背中が曲がって五臓の管は上を向いたし、
あごはへそに隠れ、肩は頭より高く、
髪のもとどりは天を指している。
陰陽の気が乱れたんだな」と。
そういう子輿の心はおだやかで、不安な様子はありません。
ふらふらと井戸まで行って、自分の姿を映してみました。
「ああ、かの造物者、私の体をこんなにも曲げおった」

子祀が「きみはそれが憎いと思うかね」と言うと、
子輿は言いました。
「いいや。どうして思うものか。
造物者が私の左腕を鶏に変えるようなら、
ときを告げてやろう。
もし私の右腕を弾丸に変えるなら、
ふくろうを打ち落としてあぶりものにしよう。
私の尻を車輪とし、心を馬とするなら、これに乗ってやろう。
車の用意をしないですむからな」

子祀、子輿、子犁、子来四人、相い与に語りて曰く、孰か能く無を以て首と為し、生を以て脊と為し、死を以て尻と為し、孰か死生存亡の一体なるを知るものぞ。吾れ之と友たらん、と。四人視て笑ひ、心に逆ふこと莫く、遂に相与に友たり。

俄にして子輿病有り。子祀往きて之を問ふ。曰く、偉なるかな夫の造物者、将に予を以て此の拘拘を為さんとす。曲僂背に発し、上に五管有り。頤は斉に隠れ、肩は頂より高く、句贅は天を指す。陰陽の気の沴える有り、と。其の心は間にして事無く、跰䟼いて井に鑑す。曰く、嗟乎。夫の造物者、又将に予を以て此の拘拘を為さんとす、と。

子祀曰く、女之を悪むか、と。曰く、亡し。予何をか悪まん。浸仮して予の左臂を化して以て鶏と為さば、予因つて以て時夜を求めん。浸仮して予の右臂を化して以て弾と為さば、予因りて以て鴞炙を求めん。浸仮して予の尻を化して以て輪と為し、神を以て馬と為さば、予因つて之に乗らん。豈に更に駕せんや。

（大宗師篇）

北原　私が定年まであと一年というのは話したかな。
松村　え、先生、あと一年で定年なんですか。
北原　そう、一年後の三月で六十歳になる。長い教員生活ももう終わりが近いな。
松村　先生が六十歳だなんて、とても先生そんな風に見えません。まだまだ五十歳の半ばくらいです。
北原　そんなことはないだろう。あなたと出会ってからもうかれこれ十数年になるから、そんなものじゃないかな。
松村　そうですね。時がたつのは早いですね。
北原　いやいやどうして、時折鏡を見ると、やっぱり自分でも年をとったなと思うね。顔にしわは増えたし、髪はだいぶ少なくなったし。
松村　私もさすがにもう若いとは言えなくなりました。最近は鏡をあまり見ないようにしています。
北原　鏡を見ないの。

松村　朝出かける準備のために一応鏡は見てますけど、なるべく目をそらすようにしています。だって、目じりのところに、このあいだはなかったしわを見つけたり、ほおがたるんできているのを見たりするとショックじゃないですか。

北原　確かにそうだけど、誰しも確実に年を取っていくからね。それに自分が変化していく様子はなかなか見られるもんじゃないから、その時その時でしっかり見ておいたほうがいいと思うよ。

松村　そうはいいますけど、私は先生みたいに気持ちが強くはありませんから。

北原　自分の顔を鏡で見て老いを感じるとき、いつもこの『荘子』の話を思い出すんだ。

松村　どういうことですか。

北原　あの造物者は偉大だなあ。年とともに私の姿を少しずつ変えていっている、とね。

松村　でも先生、この話はただ単に運命に身を任せて生きろ、という消極的な生き方しか感じられないように思いますけど。

北原　確かにね。運命に身を任せるだけ、人生なるようにしかならない的な感じはあるね。ただ、この話の最初に、「死生存亡の一体たる」とあったり、この話のあとに、友人である子来が死にそうな場面があったりして「そもそも天地自然のなかで、人間という形を具えてこの地上に生まれ、私に生きる苦しみを与え、老いを迎えてようやくやすらぎを、死の訪れによって永遠に休むことができる」と言ってることからすると、この世に形あるものとして生まれ、年老いて、死に至る。その誰にでも共通をするその部分に関しては、自然の大きな流れに任せようというものじゃないかな。

松村　うーん。先生の話を聞いても、にわかに納得しがたいものがあります。

北原　そうだな。少し話題を変えよう。高校ではここ数年、「主体的」という言葉がよく使われるよね。

松村　そうですね。うちの学校でもそうですね。

北原　「主体的」というのは、どういう意味かな。

松村　自分で課題を見つけ、それを自分で解決しようと、自ら行動しようとすること、というくらいでしょうか。

北原　そうだね。毎日の授業や特別活動でも主体的に活動することが求められている。決して受け身ではなく、誰かからやりなさいと言われたからするのでなく、自分ですることを見つけて自分から動きなさいということだよね。

松村　そうです。そういう考え方からすると、この荘子の考えはとても消極的だと思うんですが。

北原　そうね。ただ今「主体的」について話したことは、それぞれが努力してできる範囲だよね。勉強にしても部活動にしても。体育祭や文化祭の準備、そして自分の進路について考えることも。だけど、生、老、死、これらはどうだろう。この世に生まれてきたのは決して自分の意志ではなく、いつのまにかこの世に生を享けていたし、少しずつ年をとっていくのも自分ではどうしようもないことだし、ましてこの命は誰しも限りあるものだ。いつかは誰もが死んでいく。そうした自分の力ではどうしようもないもの、それについては運命というか、自然の流れに任せるしかない。任せる勇気というか、自然の流れを受け止める力強さが必要だということかな。

松村　うーん、そうなりますかね。

北原　自分のことで恐縮だけど、父親は二十五年前に亡くなった。母親も七年前に亡くなった。たった一人の兄弟である兄も一昨年他界した。私がこの世に生を享けてから長い間家族としてともに生きてきた人たちが、みんな年老いてそしてこの世からいなくなってしまった。それはとても悲しく、つらいことなんだけど、それを運命として受け入れていく。そして自分がここにこうして生きていることを肯定して前に進んでいく。そうした強さを教えてくれる話、それがこの話なんじゃないかなと思っているよ。

松村　そうですね。そうした強さを与えてくれる話なんですね。少しわかったような気がします。明日からはできるだけ毎日、自分の顔を鏡で見ようと思います。

【語源コラム　坐禅】（大宗師篇）

中国で禅、または坐禅が広まったのは唐の時代といいますから、紀元前に編纂された『荘子』にその言葉はありませんが、それとよく似た、またはそれの源ともいえる「坐忘」という言葉があります。

「肢体を堕し、聡明を黜け、形を離れ、知を去り、大通に同ず、此れを坐忘と謂ふ」。人間が自らの感覚や知覚を捨て去ることで、大いなる道と一体となる境地をめざす。それを「坐忘」と表現し、孔子の高弟である顔回が自らが進んだ形として孔子に語っているのが『荘子』のおもしろさでしょう。

玄侑宗久氏は『荘子―何もないことを遊ぶ』の中で、この「坐忘」の言葉を取り上げ、

身体感覚が中心部に集まり、いわゆる「知（理性）」が薄れ、周囲のすべてに溶け込んでいくような感覚は、明らかに坐禅に通じています。

と述べておられます。

第十二話　渾沌（こんとん）

南海を治める皇帝を儵（しゅく）といい、
北海を治める皇帝を忽といい、
中央を治める皇帝を渾沌といいました。
儵と忽とがある時、渾沌が治める地で会うことになりました。
渾沌は儵と忽とを手厚くもてなしました。
儵と忽とは渾沌のもてなしに感謝して
「人はみんな目や耳、口といった穴が七つあって、
それで見たり、聴いたり、食べたり、呼吸したりしている

でも渾沌にはその穴がない。
試しにその穴をあけてあげようではないか」と。
そして一日に一つずつ穴をあけていきました。
すると七日目に、渾沌は死んでしまいました。

南海の帝を儵と為し、北海の帝を忽と為し、中央の帝を渾沌と為す。儵と忽と時に相い与に渾沌の地に遇ふ。渾沌之を待(もてな)すこと甚だ善し。儵と忽と渾沌の徳に報いんことを謀りて曰く、人皆七竅有りて、以て視、聴き、食らい、息するに、此れ独り有ること無し。嘗試(こころ)みに之を鑿(うが)たん、と。日に一竅を鑿ちしに、七日にして渾沌死す。　（応帝王篇）

松村　先生、この話、わかったようでよくわからない話なんですけど。
北原　そうだね。どういうところがそう感じる。
松村　「渾沌」というのは「混沌」と同じですよね。すべてのものが混じりあって、秩序だっていない状態で、そこに目や鼻、口をつける、つまり、人間の知覚や感覚を加えようとすると、その「渾沌」は死んでしまう。つまり、絶対的な真理は人間の知覚、感覚を超えたところにある。というように、説明できなくはないんですけど。ものすごく抽象的でよくわからないんです。教科書に載っている時もあって、生徒に説明しようと思ってもうまく説明できないんですけど、何か具体的に説明できないものなんですか。
北原　確かに抽象的だね。絶対的な真理は人間の知覚、感覚を超えたところにある、というのは。確か『老子』の冒頭にも「道の道とすべきは常の道にあらず」、つまり絶対的な真理は人間の常識を超えたところにある、という言い方がされている。こうした「道」を考えることでは共通点があるので、老子と荘子は「道家」としてひとくくりにされるんだよね。

松村　そうなんです。老子や荘子が教科書に出てきたときに、「道家」の思想がどのようなものか、「道」とは何か、そうしたことも触れないといけないので、何とか説明はするんですけど、いつも抽象的なことをしゃべって終わりになってしまいます。何か具体的な説明ができないかと思って。

北原　うーん。じゃあこういうのはどうだろう。突然だけど、「松村さん」

松村　はい。え、突然どうしたんですか。

北原　今返事したよね。

松村　はい、呼ばれたので返事をしました。

北原　「松村さん」と私が言葉を発した瞬間、他の人じゃなく「松村さん」に限定される。

松村　はい。

北原　名前を呼ぶことだけでなく、何かしゃべった時には、その瞬間その瞬間、そのしゃべった言葉に限定されて、それ以外のことは全く話題に入りこめなくなる。「道」というのがこの世界のすべてを覆いつくすものだとすると、我々人間が一言しゃべっただけで「道」から離れてしまう。

松村　言われてみれば。

北原　同じように、楽器。ピアノでもバイオリンでもギターでもそうだけど、ある音を奏でたその瞬間、周りに響くのはその音だけで、他の音は出すことはできない。陶淵明という詩人は知っていると思うけど、中国の東晋時代だから、五世紀ごろに活躍した田園詩人と言われる人だけどね、その人が「無弦の琴」、つまり弦が一本もない琴を好んで持ち歩いていたというのも、このことと共通しているんじゃないのかな。音一つ出しただけで「道」から離れてしまう。ということは、音を出さない琴、それがすべての音を聞くことにつながるということなんだろうね。

松村　うーん。少しわかったような。

北原　じゃあ、こういう話はどうかな。大岡信(まこと)という人の「言葉の力」という文章があって。

松村　はい。教科書で読んだことがあります。

北原　そのうちの一部が、ある大学の推薦入試の小論文の課題文として取り上げられていてね。

松村　へえ、そうだったんですか。

北原　そこではまず、ドイツの詩人ノヴァーリスの言葉「見えるものは見えないものにさわっている。聞こえるものは聞こえないものにさわっている。それならば、考えられるものは考えられないものにさわっているはずだ」を引用して、「われわれが考えることのできるものの世界は、限られていてささやかである。しかし、考えられるものが考えられないものにじかにさわっているということは、言いかえれば、有限なるものがじかに無限なるものにさわっているということだ」と書いているんだ。

松村　有限が無限にさわっているというところなんかは、有が無から生じたという

『荘子』の考えにものすごく近いですね。

北原　そうだね。で、大岡さんは、このあと「コミュニケーション」へ話をふるんだ。

松村　どういう話ですか。

北原　人の心と心のふれ合いを語るためには、「コミュニケーション」という言葉は役に立たない。なぜなら大事なことほど伝わりにくいものだから、と言うんだ。今社会が求めている力に「コミュニケーション能力」があって、自分の思いを正確に相手に伝えることが大切だ、とよく言われるけど、人間の心の中にあるすべてのことは言葉で簡単に表現できないんじゃないか、そう言っているんだよ。

松村　確かにそうですね。

北原　この人が言いたいのは「言葉の力」だから、最後には「言葉というもの大切さは、それが人間のこういう思いに最も深くかかわっているものであるという点にある」と、言葉という目に見えるものが、目に見えない人の心につながっている、という形でしめくくっているんだけどね。

松村　おもしろいですね。少しわかってきました。

北原　そういう意味では、普段生徒の様子を見ていて、目に見えたこととか、生徒が言ったこととか、それだけでその生徒の中身を判断してはいけないということだろうね。

【語源コラム　渾沌】（応帝王篇）

「温飩（うどん）は本、混沌と称せしが、食物なればとて食偏を書きて餛飩とせり」これは橋本海関という人が、明治三十六年に著した『百物叢談』にある記述だそうです。今私が住んでいる香川県。別名「うどん県」と称するぐらいうどんがたくさん食べられています。その「うどん」の由来が『荘子』の「渾沌」というのはうれしい限りです。そう言われてどんぶりの中を見ると「渾沌（混沌）」としているように見えてきます。

第十三話　機械

子貢が南方の楚の国に行き、晋まで戻ってくる途中、
漢水の南を通りかかったとき、
ふと見ると、ひとりの老人が畑をこしらえていました。
地下道を掘って井戸に入り、
甕を使って井戸水を汲み出しては畑に注いでいました。
あくせく働いても、効果は少ないようでした。
それを見た子貢は言いました
「機械があったら一日に百の畑でも水がかけられますよ。

わずかな力で効果があがる。

やってみる気はありませんか」と。

畑をこしらえていた老人は、子貢をふりあおぎました。

「どうするのかね」

子貢が答えました。

「木に穴をあけて機械を作り、後ろは重く前は軽く。

そうすると、ものを引くように水が汲めますし、

湯があふれるように出てきます。

その機械をはねつるべといいます」

老人はむっとしたが、笑って言いました。

「わしが昔、ある先生から聞いた話じゃが、

機械を持てば、機械による仕事が出てくる。
機械による仕事が出れば、機械にとらわれる心が起こる。
機械にとらわれる心が起これば、純白の度が薄くなる。
純白の度が薄くなると、精神が定まらない。
精神の定まらぬところに道は宿らない。
わしは機械を知らないわけではない。
恥ずかしくて作れないのじゃ」
子貢はすっかり恥じ入り、うつむいて黙ってしまいました。

子貢南のかた楚に遊び、晋に反る。漢陰を過りしとき、一丈人を見る。方将に圃畦を為る。隧を鑿ちて井に入り、甕を抱きて出し灌ぐ。搰搰然として力を用ふること甚だ多く、功を見ること寡し。子貢曰く、此に械有らば、一日にして百畦を浸し、力を用ふること甚だ寡くして、功を見ること多からん。夫子欲せざるか、と。圃を為る者卬ぎて之を視て曰く、奈何せん、と。曰く、木を鑿ちて機と為す。後は重く、前は軽し。水を挈ること抽くが若く、数かなること泆湯の如し。其の名を槹と為す。圃を為る者忿然として色を作して笑ひて曰く、吾之を吾が師に聞けり。機械有る者は、必ず機事有り。機事有る者は必ず機心有り。機心胸中に存せば、則ち純白備はらず。純白備はらずんば、則ち神生定らず。神生定らざる者は、道の載らざる所なり。吾知らざるに非ず。羞ぢて為さざるなり、と。子貢瞞然として慚ぢ、俯して対へず。

（天地篇）

北原　このあいだ大阪に行ってきたんだけど。あらためて驚いたことがあって。
松村　どんなことですか
北原　いったん神戸の三宮までバスで行ってそこから新快速に乗ったんだ。バスだったら渋滞にまきこまれると大変だけどＪＲだったら早いし、時間通りに着くと思ってね。大阪まであっという間。二十分くらいで着いたよ。
松村　そうですね。途中二駅くらいしか停まりませんからね。
北原　その新快速が十五分おきに走っていて、その間には快速。さらにそれに合わせて普通列車が各駅までお客さんを運ぶようになっていて。そりゃあ便利にできていた。
松村　香川県では珍しいかもしれませんが、そんなの都会では当たり前ですよ、先生。
北原　大阪駅に着いてからも、環状線やら、地下鉄がちゃんと連絡していて、乗り継いでいろんなところへ短時間でいけるようになっている。実に便利だ。

松村　そうですね。分刻みで動いてますからね。

北原　それから、お昼ごはんをどうしようか、時間がなくて困ったなと思っていると、目の前にコンビニ。パンと飲み物がすぐに手に入った。寒い時期だったから、温かいコーヒーも手に入れることができて助かったよ。

松村　自分がこれが欲しいと思ったときに簡単に手に入るようになりましたよね。便利な世の中になりましたよね。

北原　ところで、話は変わるけど、最近こんなことを言う生徒がいてね。

松村　どんなことですか。

北原　二年生の生徒なんだけど、「先生、効率よく勉強するにはどうすればいいですか」というようなことだったかな。

松村　高校の二年生だったらもう大学受験をかなり意識してますよね。ほとんどの生徒が効率的に勉強をして、点数を上げたいと思っていますよね。

北原　確かにそれはそうなんだけど、その生徒が言うことでちょっと気になるのはね。僕には世界史の授業は必要ないので、その時間の間に、大学受験に必要な他の教科の勉強をしたいんですけど、他の授業の間でも集中できる効率の良い勉強方法があったら教えてください、というものなんだ。

松村　えー、それはちょっと困りますよね。

北原　そうだろ。困るだろ。

松村　授業中にほかごとをするのはよくないと思います。たとえ受験勉強でも。

北原　当の本人はまったく悪気はなく、いたって真剣なんだ。「効率の良い勉強方法」といって課題研究のテーマにしたいと言っているくらいだから。

松村　どういう研究をしようとしているんですか。

北原　勉強している横で誰かに何かをしゃべってもらうんだけど、そのパターンをいくつか作って、それが集中力にどう影響するか、ということを実験しようとしているらしいよ。

松村　そうですか。受験に必要でない授業の時に、必要な科目の勉強をする。気持ちはわかりますけど。でも先生、世の中すべて効率だけで片付かないことだってありますよね。

北原　うん、そう思うね。特にこの仕事をしてると、努力していることがそのまま結果に結びつかないことはたくさんあるよね。模試の成績にしても、大会での成績にしても。

松村　そうですよね。

北原　それから一つ思い出したけど、以前、推薦入試の面接で志望理由を答えないといけないので相談に乗ってくださいという生徒がいて、確か音楽関係に進みたいという生徒だったんだけど、何回話してみてもなかなかなぜその学部に進みたいか、核心をついたような答えが出てこなかった。そうした状態で十回くらい面接の練習をした時かな、やっとその生徒から、そう言えば小さい頃からある楽器を習い続けていて、今では時々施設に出かけていって演奏することもあるんです。その楽器を続けるにはその大学が一番だと思ってそこを選びました。という本人の経験に基づいた言葉を引き出すことができたんだ。決してそれまで隠していたわけではなくて、自分では日常すぎて出てこなかったのが、何回か私と話をするうちにリラックスできて、そうした自分の体験にたどり着いたような感じだった。

松村　よかったですね、その生徒さん。その大学に入りたい理由がちゃんと自分の言葉で表現できたんですよね。

北原　そう、数か月かかったけど、もしその生徒からその答えが出てくるまで待たずに、「効率的」にとりあえず答えを作っていたなら、自分の経験と大学の勉強とがきちんと結びつかないままだったのかなと思う。

松村　先生がさっきおっしゃったように、教育の現場では「効率的」だけではうまくいかない場合がありますよね。

北原　そうだね。何年先、何十年先の人を育てる場では必ずしも、「効率的」がいいとは限らないよね。ただ気になるのは最近、「ＰＤＣＡサイクル」という言葉が聞こえてくることなんだ。

松村　ＰはＰＬＡＮ、ＤはＤＯ、ＣはＣＨＥＣＫ、ＡはＡＣＴＩＯＮですよね。

北原　そうそう、計画を立ててそれを実行して、うまくいったかどうか検証をして、それを次の行動に移す、そうしてよりよくしていくという考えかな。

松村　確かに、授業のやり方でも、前もって計画を立てて、自分がやった授業がよかったかどうか、それをチェックして次につなげていくのは大事だと思います。いろいろな学校行事でもそうですよね。でも先生。何か私、短い期間で成果を出さないといけないような、そんな強迫観念みたいなのがあって不安なんです。

北原　確かに、「効率」を求められているような気がするな。いろいろな交通機関の発達によって便利になった。短時間で行きたいところへ移動することができるようになった。それから、自分が何か飲みたい、食べたいと思ったときに、目の前にそれを提供できる設備があって、すぐに満足のいくものが手に入る。そしてすぐ次の行動へ移ることができる。そういう意味ではとても効率がいい。こうした機械文明に頼る世の中だから、すべて機械の動きに合わせるような機心、つまり何でも「効率」を求める心が起こる、まさか『荘子』ではここまで見越したわけではないだろうけど、そんな気がしているよ。

松村　「効率」を求める場合かどうか、そういう見極めは必要ですよね。

第十四話　車大工のお話

斉の国の王様である桓公が堂の中で本を読んでいました。

その時、車輪を作る扁という男が堂の下で車輪を作っていましたが
道具を置いて堂に上り、桓公にたずねました。

「王様がお読みの本には何が書いてあるのでございましょう」

「聖人の教えじゃ」

「その聖人は今生きておいでになるのですか」

「すでに亡くなっておるな」

「とすると、王様がお読みになっているのは、

昔の人が残したかすですな」
「わしの勉強に、職人ごときがどうして口をはさめるのか。
申し開きが立つなら許そうが、立たぬときは殺すぞ」
輪扁はこう答えました
「わたくしは、わたくしの仕事で考えたことを申しあげます。
車輪を作るのに、削りが多いと、
さしこみが、甘くなって丈夫にできませんし、
削りが少ないと、窮窟ではまりません。
ゆるくもせず、きつくもしないのは、
毎日の手作業の中で会得するのでして、口では説明できません。
そこには方法があるのですが、

それをわたくしの子に教えることもできません。
わたくしの子も、わたくしから学ぶことはできません。
ですから七十歳になっても
自分で車輪を作っているのでございます。
昔の人とその精神はすでに亡くなっています。
ですから王様が読んでいるものは昔の人のかすだと申しあげたのです」

桓公書を堂上に読む。輪扁輪を堂下に斲りしが、椎鑿を釈きて上り、桓公に問ひて曰く、敢て問ふ、公の読む所は何の言と為す、と。公曰く、聖人の言なり、と。曰く、聖人在りや、と。公曰く、已に死せり、と。曰く、然らば則ち君の読む所は、古人の糟粕のみ、と。桓公曰く、寡人の書を読む、輪人安んぞ議するを得んや。説有らば則ち可なり。説無くんば則ち死せん、と。

輪扁曰く、臣や、臣の事を以て之を観るに、輪を斲ること徐なれば則ち甘にして固からず。疾なれば則ち苦にして入らず。徐ならず疾ならざるは、之を手に得て心に応じ、口に言ふ能はず。数有りて其の間に存するも、臣は以て子に喩ふること能はず。臣の子も亦た臣より受くること能はず。是を以て行年七十なるも老いて輪を斲る。古の人と其の伝ふ可からざるものとは、死せり。然らば則ち君の読む所は、古人の糟粕のみ、と。

（山木篇）

松村　先生、授業のコツを教えてほしいんですけど。
北原　え、コツ。
松村　そう、授業をうまくやるコツです。生徒の前でうまくしゃべるコツとか、グループ学習を上手に進めるコツとか、先生ぐらいベテランになるとそうしたコツを心得ているんじゃないかなと思って。ぜひ私に伝授してください。
北原　じゃあ高校二年の国語で定番の中島敦の「山月記」。これを使っての授業のやり方についてお話をしようかな。
松村　いえ、そうじゃないんです。一つ一つの教材について授業をどう組み立てるかということではなくて。うまく言えませんけど、授業をうまく進めるためのコツです。
北原　うーん、そうね。じゃあこんな話から始めよう。実は私は授業でしゃべるのがあまり得意ではないんだ。
松村　え、そうなんですか。

北原　ああ、特に生徒がシーンとして静かにこちらを向いていると本当にやりにくくて。

松村　普通は、授業が始まって先生がしゃべりだしたら、私語はしない。きちんと姿勢を正して先生の言うことを聴き、必要なことはノートに書く。それが授業を受ける生徒のマナーですよね。

北原　そうなんだけどね。生徒がじっとこちらを見ている視線、それも四十人もの視線を受けていると、緊張して冷や汗が出たりするんだ。

松村　そうなんですか。とても今の先生の姿からは想像できません。

北原　それでね、どうやったかというと、授業の最初に、緊張をやわらげるために、ちょっとした小話をすることにしたんだ。

松村　小話ですか。あの「隣の家に囲いができたってね、へえ（塀）」とか「布団がふっとんだ」とかですか。

北原　いやいや、それは落語の小話でしょ。さすがに授業ではそんなことはしないよ。私がしたのは季節のお話。国語の時間だからね。その時々の季節に合う言葉のお話なんだ。

松村　たとえばどういうのですか。

北原　年度が始まる四月だったらやはり桜かな。「梅は近景、桜は遠景」という言葉があるけど、梅の花はその咲き方からして一輪一輪を間近で見て香りも楽しむものだけど、桜はそれとは違って、一枝一枝にびっしりと花びらがついているから、少し離れたところからまとまりとして見るのがいい、つまり桜並木とか山一面の桜とか、遠くから観賞するのがいい、というわけだ。それから数日して、桜が散るころには「葉桜」の話もするかな。

松村　すてきですね。毎時間そうやって授業が始まるんですね。

北原　そうだね。五月には「五月晴れ」の話。この言葉は、今の五月の快晴を表すのではなくて、もともと「五月雨」とセットの言葉で、つまり梅雨の間のちょっとした晴れ間を表す言葉なんだ。旧暦の時の言葉なので、現在の五月とは合わなくなっているけどね。あと気に入っているのは「麦秋」という言葉なんだけど、知っているかな。

松村　はい、麦の収穫時期を表す言葉ですよね。麦の刈り入れ時になると、まるで秋に稲穂が色づくのと同じような風情を楽しめますね。

北原　最近の生徒は「麦秋」という言葉を知らないし、この香川県で麦をいつ収穫するのかさえ、気に留めてないみたいだね。

松村　そうですね。そうした話をするとあらためて身の回りにある季節感に気づきますよね。その時期にしか体感できないことでもあるし、新たな知識が増えるし、いいことですね。

北原　そう。生徒だけでなく、こちらも緊張がほぐれるから助かるんだ。教室があたたまるというか、その場がなごむと言ったらいいかな。生徒四十人の視線を目の当たりにすると、やはり緊張してしまうので、私はこんなことをして克服しようとしたな。

松村　ありがとうございました。先生は確か言葉の由来を調べるのが好きでしたよね。先生ご自身が話したいことと、緊張感をほぐすのとがうまくマッチしたんですね。

北原　あと、板書に苦労したね。特に現代文。黒板にうまくまとめて書くというのが難しくてね。

松村　先生、苦手なものばかりですね。

北原　何年か前までは、授業前に一生懸命板書の仕方を考えて、それをノートに書いておいて授業に臨んでいたけど、うまく伝えるのにどう整理したらいいかも苦労するし、板書を生徒が写すのに時間がかかるし、もしかして写しているだけで全く頭を働かせていないんじゃないかと思い始めたりしてね。そんなこともあって、最近はほとんど黒板に書かないんだ。

松村　黒板に書かなくて授業が進められるんですか。

北原　こちらがわかってほしいことをプリントにして生徒に配っている。

松村　どんなプリントですか。

北原　その教材で大切だと思う事柄について、こちらが問いを作っているんだ。早い話が、問題形式のプリントで、生徒がまず各自でその問題を解く。そのあと教室内を自由に立ち歩いていいからクラスメートといっしょに考える、そしてこちらがグループを指定し、グループであてて発表してもらう。もちろん最後にはきちんと解説をするけどね。

松村　先生だけが一方的にしゃべっているのではないんですね。

北原　そうね。「アクティブ・ラーニング」とか、「主体的、対話的で深い学び」という最近の傾向とも合っているし、これだったらしゃべるのが苦手で、板書に苦労する私に合っている授業のやり方だなと思ってね。自分が苦手だったことを、なんとか克服しようとして始めたことだし、何回も、何年もやるなかで、自分に合うスタイルを見つけていったってことかな。

松村　授業のコツは自分で見つけていかなくちゃいけないんですね。

北原　さっき落語の話がでてきたけど、おそらく噺家（はなしか）さんも、同じ話を何回もするなかで、お客さんの反応を見ながら、自分がしゃべりやすいやり方や、自分がお客さんを楽しませるためにできることは何かということを探りながら工夫していっているんじゃないかな。人前でしゃべるという点では共通するところがあるので、落語は好きだけどね。

松村　噺家さんの話し方や間の取り方なんかも勉強になりますよね。きっと。

北原　「アクティブ・ラーニング」や「主体的、対話的で深い学び」というタイトルの本もたくさん読んだけど、筆者に直接聞けず、文字しかないのでは、実際にどうすればいいかはうまく伝わってこないんだ。それがこの話の中で車大工が「かす」って言ったことかな。ただ、本人がいれば本人にコツを聞くこともできるけど、最終的には自分に合いそうなものを実際に授業で何回もやってみて作り上げていくしかないんじゃないだろうか。それがコツかな。

第十五話　井の中の蛙大海を知らず

東海に住む大亀がやってきていざ井戸に入ろうとしたところ
左足が入りきらないうちに右の膝がつっかえてしまった。
そこで大亀は後ずさりしながら外に出て蛙に海の話をした。
「そもそも千里という距離でも海の広さを形容するには足りないし、
千仞という高さも海の深さを言い表わすには足りないんだ。
その昔、禹王の時代、十年間に九回も洪水があったけど、
そのために水量は少しも増えたりしなかった。
湯王の時代、八年間に七度も日照りがあったけど、

そのために水量は少しも減ったりしなかったんだ。
そもそも時間の長い短いによって変わることなく、
水の多い少ないによって増えたり減ったりしない、
これまた東海の大いなる楽しみなんだよ」
井戸の中の蛙はこの話を聞いて、おじけおののき、
身をちぢめて気抜けしてしまったということだ。

> 東海の鱉、左足未だ入らずして、右膝已に縶す。是に於いて逡巡して卻（しりぞ）き、之に海を告げて曰く、夫（そ）れ千里の遠きも、以て其の大を挙ぐるに足らず。千仞の高きも、以て其の深を極むるに足らず。禹の時十年に九潦せしも、而も水為に益すことを加へず。湯の時八年に七旱せしも、而も崖為に損することを加へず。夫れ頃久の為に推移せず、多少を以て進退せざる者は、此れ亦東海の大楽なり、と。是に於いて埳井の鼃之を聞き、適適然として驚き、規規然として自失せり。
>
> （秋水篇）

松村　先生は教師になってもう何年ですか。

北原　そうだね、もう三十年は越えたな。

松村　三十年といったら私の三倍ですね。もう大ベテランですよね。教室に教科書だけ持って行ってすぐ授業ができるんじゃないですか。

北原　そんなことはないよ。確かに年を重ねてきたので、見た目は落ち着いているかもしれないけどね。そういえば、このあいだもある先生から「もう先生くらいになると、授業の予習なんてしなくていいんじゃないですか」と言われたりしたな。

松村　ほんとに、もう予習なしでいつでも授業ができるって感じですけど、違うんですか。

北原　もちろん今までの蓄積があるから、それを使えば授業はできるけどね。例えば中島敦の「山月記」や夏目漱石の「こころ」なんてのは教科書の定番だから、今までと同じ授業でよければ、すぐにでもできるよ。

松村　「今までと同じ授業でよければ」ということは、毎年同じ授業をしているわけではないんですか。

北原　そうね。毎年少しずつ変えているかな。

松村　漱石の「こころ」ではどう変えたんですか。

北原　ちょうど、二〇一八年が「明治百五十年」だったこともあって、漱石が明治という時代をどうとらえていたか、漱石の講演記録が残っているので、それを読みながら、「こころ」に登場するKや私の自殺の原因とのつながりを考えたりしたかな。

松村　すごいですね。そんな授業のやり方もあるんですね。

北原　「こころ」を勉強するのではなく、「こころ」で何を勉強するか、それを考えてこの授業のスタイルを考えたんだ。

松村　先生、すごいですね。尊敬します。

北原　いやいや、これも人に教わったことでね。

松村　どこで教わったんですか。

北原　それこそこの話じゃないけど、「井の中の蛙」にならないように、海を越えて。

松村　海を越えてって、海外ですか。
北原　いや、ここは香川県でしょ。だから、海を越えると岡山県。
松村　岡山県？
北原　そう、岡山県。隣の県だけど、でも海一つ越えただけで勉強になることがたくさんあるんだ。大学の先生や先進的な取り組みをしている高校の先生にいろんなことを教わった。なかでも驚いたのは、香川県では「教材」という言葉を普通に使っているんだけど、岡山県では「学習材」という言葉を使っていた。
松村　「学習材」と言いますと。
北原　こちらが教えるための材料、という考え方ではなくて、生徒が学習するための材料という考え方なんだ。
松村　なるほど生徒が「学習する」材料だから「学習材」ですか。生徒が主役ってことですよね。
北原　そう、その通り。学習する生徒が主役で、教師はそれをサポートする役ってところかな。

松村　確かに言葉一つで授業に対する姿勢が変わりますよね。

北原　知らないことなんて山ほどあって、本当にうかうかしていると、すぐに「井の中の蛙」になってしまうよね。

松村　例えばどんなことですか。

北原　今勤めている学校はほとんどの生徒が大学を受験するので、センター試験に照準を合わせた授業になっているけど、そうじゃない学校では別のスタイルが求められるよね。

松村　そうですね。ほとんどの人が高校卒業後すぐ働きに出る学校もありますね。

北原　そうなると、同じ学習材を使っても、何を学ぶかはまた違ってくる。

松村　そうですね。

北原　それから、私は経験がないんだけど、特別支援学校。目が不自由な人、耳が聞こえにくい人、そういう人たちに国語の授業をするとなると、何をどうしたらいいか、まったくわからない。「障がい」を抱えている人たちもいる。毎日命と真剣に向き合って生きている人もいる。そうした人たちを前にしたとき、高校の国語教師として自分に何ができるかは非常に心もとない気がする。そんな時は大学受験を意識して指導している自分がいかに毎日狭い世界で過ごしているか、痛感させられるんだろうな。

松村　確かにそうですね。自分がこれまで通ってきた道、私だったら、高校を卒業し、大学受験をして、大学で教員免許を取って、教職に就く、それだけが唯一の道だと思っていると、生徒と対したときに大きな間違いを起こしかねないですね。

第十六話　木鶏（木彫りの鶏）

紀渻子という人が、国王のために闘鶏に使う鶏を育てていました。

十日たった時に、王様がたずねました。

「もう、勝てるようになったか」

「まだでございます。から元気です」

紀渻子はそう答えました。

また十日たって、王様がたずねました。

「まだでございます。

ほかの鶏の声を聞くとすぐに飛びかかろうとします」

それから十日たって、王様がたずねました。

「まだでございます。にらみつけて怒り立つ気配があります」

さらに十日たって、王様がたずねると、

「だいぶよろしいようです。ほかの鶏が鳴いても少しも態度にあらわしません。まるで木彫りの鶏のようです。徳が満ち満ちています。挑みかかろうという鶏もなく、逃げ帰ってしまいます」


紀渻子、王の為に闘鶏を養ふ。十日にして問ふ、鶏已にするか、と。曰く、未だしなり。方に虚憍にして気を恃む、と。十日にして又問ふ。曰く、未だしなり。猶ほ嚮景に応ず、と。十日にして又問ふ。曰く、未だしなり。猶ほ疾視して気を盛んにす、と。十日にして又問ふ。曰く、幾し。鶏鳴く者有りと雖も、已に変ずること無し。之を望むに木鶏に似たり。其の徳全し。異鶏敢て応ずる者無く、反りて走る、と。

（達生篇）

北原　ああ、しまった。自分としたことが、なんてことだ。

松村　どうしたんですか、先生。天を仰いだり、頭を抱えたりして。何かあったんですか。

北原　さっきの掃除の時間、掃除をせずにふざけて遊んでいた生徒に、思いっきり怒鳴ってしまったんだ。

松村　真面目に掃除をしていない生徒に、注意することだってあるでしょう。

北原　いやいやそうじゃない。注意じゃなくて、怒ってしまったんだ。まだまだ未熟だな。「われいまだ木鶏たりえず」だ。

松村　また先生、こんな時にも難しいことを言って。それも『荘子』なんですか。

北原　そうだよ。もとは『荘子』にある言葉だ。だけど「われいまだ木鶏たりえず」と言ったのは双葉山だけどね。

松村　双葉山ってお相撲さんですか。

北原　そう。君は知らないと思うけど戦前に大活躍した横綱でね。その人が達成した六十九連勝はいまだに破られていない。すごい記録を残しているんだ。その記録がもっとすごいのは、当時は今と違って一年間に二場所しかなかったので、ほぼ三年間、負け知らずということになる。

松村　へえ、すごいですね。で、その人がどんな時にその「われいまだ木鶏たりえず」って言ったんですか。

北原　七十連勝がかかった相撲で敗れてしまってね。その時にさっきの言葉を言ったそうだ。

松村　どういう意味ですか。

北原　「木彫りの鶏」のように、どんな相手が来てもまったく動じず、自分の相撲をとって勝ち続けるということができなかった、まだまだその境地まで至っていないということかなと思うけど。

松村　三年間負けなしだと「木鶏」に似た心境になるのかもしれませんね。それで負けたわけですから「自分はまだ木鶏となることはかなわなかった」というのもわかる気がします。名言ですね。

北原　そうだな。名言だな。

松村　で、それに比べると、先生のはちょっとレベルが違うと思うんですけど。

北原　え、まあ確かに、ね。

松村　でもそういえば、私、先生の怒ったところ見たことがないような気がします。先生はめったに怒りませんよね。

北原　そうだろう、怒らないように努力しているからね。確かその前に怒ったのは五年くらい前かな。

松村　え、先生。五年間怒ってなかったんですか。

北原　そうだよ。五年間。だから今日怒ったことがショックなんだ。

松村　さっき、怒らないように努力しているということでしたけど、どんな努力をしているんですか。何か秘訣のようなものがあったらぜひ教えてください。

北原　うーん。そうね。自分が怒っているときって、あとで振り返ってみると、何か自分が大事にしていること、というか、こだわっていること、そこを刺激されたときに怒っているような気がする。さっきだったら、掃除。

松村　そうですね。先生は結構掃除が好きですよね。中庭をきれいに掃いたり、教室の窓を拭いたり、壁を磨いたり。

北原　そう、掃除にはこだわりがあるんだ。ここはこんなふうにきれいにしておきたい、というのがあって。そんな時に、生徒がふざけながら適当にやっていると思ったので、つい怒鳴ったかなと思う。

松村　一つはこだわりですね。

北原　もう一つは、自分の弱みを見せまいとするとき、自分の弱みを突かれたとき、かな。さっきの鶏の話でいうと、最初他の鶏が近づいただけで威嚇するんだったよね。自分に弱いところがあるのがわかっていて、それを相手に見せたくない、と思っているということじゃないかな。相手より優位に立ちたい、劣ったところを見せたくない、そういう焦りみたいなものがあるとき、そんな時に怒ってしまうのかな、って思う。

松村　うーん。確かに言われてみると、生徒に注意するときは冷静ですけど、怒ってしまうときは、どこか自分の中に動揺があるような気がします。それが先生の言う、こだわりや弱さが出ているのかもしれません。

北原　だから、怒らないための努力というと、こだわりをなくす、というよりは、自分や生徒のことをしっかりと観察して、これは自分だけのこだわりであって、目の前の生徒には自分のそのこだわりは通用しない、難しすぎる要求だ、と思うこと。だから、生徒はこうあるべき、と決めつけるのではなく、実際の高校生がどういう声かけをした時に、どう反応して、どう行動するか、それをしっかりと見極めることかな。

松村　弱みについてはどうですか。

北原　自分の弱点を克服する努力をすること、だと思うね。授業でうまく説明できないと思う時は、もっとかみくだいて言えるように表現を工夫するとか、知識があやふやだな、と思う時にはいろいろなものを使ってもっと調べるとか、知っている人に恥ずかしがらずに聞いて勉強するとか。そうした努力を続けて弱点を克服していくことが大事かなって思うけどね。

松村　そうですね、今の自分の状態や生徒の状態をしっかりと見つめて、足らないところを補っていく。それを積み重ねていくことで、怒らない自分を育てることができるんですよね。

北原　そうそう、日々訓練。やはり修行が大切。

第十七話　栗林

ある日、荘周が
雕陵にある栗園の、垣根をめぐらした中を散歩していました。
すると、南の方から
一羽の見なれぬかささぎが飛んで来るのが目にとまりました。
翼を広げたその大きさは七尺、目の直径は一寸ほどで、
荘周の額をかすめて栗の木にとまりました。
「これは一体何とした鳥だろう。
　大きな翼を持ちながら高く飛ぶこともできず、

大きな目をしながら人がいるのも見えないとは」
そうつぶやくと、すそをまくりあげ、足早に近寄り、
弾き弓を手にしてこれを射とめようと機会をうかがいました。
その時ふと見ると、
一匹の蝉が気持ちよさそうに木蔭にとまって、
わが身を忘れたように鳴いています。
そのかたわらには、
一匹のかまきりが木かげに身をかくしながら
この蝉を捕らえようとして、
それに気をとられて自分の身を忘れています。
例の見なれぬかささぎがそこに目をつけて、

かまきりを捕らえようとして、
そのことに夢中になって、自分の身を忘れ、
自身が荘子にねらわれていることも知らずにいます。
荘子はこれを見てはっと驚き、
「ああ、すべての物は元来互いにわずらわし合い、
利と害とは互いに招き合っているのだ。恐ろしいことだ」
そう言うと、弾き弓をうち捨てて逃げ帰りました。
すると栗林の番人は、荘子が栗を盗んだと思い、
後を追いかけてきて大声をあげました。

荘周、雕陵の樊に遊ぶ。一異鵲の南方より来る者を観る。翼の広さ七尺、目の大いさ運寸、周の顙(ひたい)に感(ふ)れて、栗林に集(とど)まる。荘周曰く、此れ何の鳥ぞや。翼殷(おほ)いなれども逝かず、目大なれども覩ず、と。裳を蹇(かか)げて躩歩し、弾を執りて之を留(うかが)ふ。覩れば、一蝉、方に美蔭を得て其の身を忘れ、螳螂、翳を執りて之を搏(う)たんとし、得るを見て其の形を忘る。異鵲従ひて之を利し、利を見て其の真を忘る。荘周怵然として曰く、噫(ああ)、物固より相累(わづら)はし、二類相召くなり、と。弾を捐てて反り走る。虞人逐ひて之を誶(ののし)る。

（山木篇）

北原　「栗林公園」は行ったことあるよね。

松村　もちろんです。何回も行っています。県外から友達が来ると必ずといっていいほど栗林公園を案内します。

北原　そうだね。香川県が全国に誇れるものの一つだよね。

松村　高校一年生の国語の教科書で、山崎正和の「水の東西」が取り上げられることがよくあるんですけど、このあいだ使った教科書の中には「日本人にとって水は自然に流れる姿が美しいのであり」という言葉がある横のページに、日本庭園を代表する庭園として栗林公園の写真が載っていまし

栗林公園　飛来峰から眺める南湖

た。紫雲山を借景に、南湖や掬月亭（きくげつ）を眺めた写真で、やっぱり自分が住んでいる地元の名勝が載っているとうれしくなりますね。

北原 そうだね。生徒にもつい香川県の自慢として説明したりするね。私が栗林公園のことでいつも思い出すのは母親のことでね。私の母親はこの公園のすぐ近くで生まれ育って、子どものころからよく遊びに行っていたものだから、どこか旅行に行って他の庭園に連れていっても、あまり喜ばなかった。「やっぱり栗林公園のほうがいい」と言ってね。それぐらい栗林公園のことを気に入っていたな。

松村 ところで、先生。その栗林公園が『荘子』といったいどういう関係にあるんですか。

北原 さて、当ててみてくれ。

松村 当ててといわれても。難しすぎて。……あっ先生、まさか。

北原 そう、そのまさかだ。

松村 「栗林」という言葉が『荘子』の中にある、ということですね。

北原　察しがいいね。その通り。

松村　へえ、それは初耳でした。それを知っている人は香川県でも少ないんじゃないですか。

北原　そうだろうね。少ないと思うよ。

松村　じゃあ先生、どうしてそれをもっと声を大にして言わないんですか。

北原　うーん、それはね。「栗林公園」の「栗林」という言葉は『荘子』からとりましたと明言している文書が、今のところ発見されていないっていうことかな。今の栗林公園が作られる前、その土地には生駒家の家臣佐藤道益の庭があったようで、今では「小普陀」と呼ばれているけど、生駒様に代わって高松の地を治めることになった松平の殿様が江戸時代になって栗林荘と名づけた。けれど『荘子』からその言葉をとったという記録は残っていない。さらに一七四五年中村文輔によって書かれた『栗林荘記』にも記録がないし、公園の北口にある山田梅村が書いた「栗林公園碑」にもそうした記述はないんだ。

松村　そうなんですか。でも先生は何かしら関係がある、と思いたいんでしょ。

北原　そうだね。『荘子』を読んでいて、「栗林」という言葉を見つけた時は思わず興奮したね。その時から、何か関係があるんじゃないかと思っていろいろ調べてるけど、確かなことはわからないままなんだ。

松村　残念ですね。そういえば、これも一年生の教科書の漢文の最初のころに、「先憂後楽」とありますけど、これは岡山にある「後楽園」の名前の由来ですよね。

北原　そう、その通り。北宋の時代に范仲淹という人が書いた「岳陽楼記」にある言葉で、「いつも人々より先に国のことを考え、人々より後に楽しむ」という意味だね。水戸の偕楽園の「偕楽」は「人々とともに楽しむ」という『孟子』にある言葉で、どちらも人の上に立つ人の心がけといったらいいのかな。そこからつけたそうだ。

松村　この「栗林」も松平のお殿様がつけた名前なので、何かしらそういう由来があると考えられますよね。

北原　そうだね。もっといろいろ勉強してみると何かわかるかもしれない。

松村　で、先生。先生はこの「栗林」の話を普段どう生かしているんですか。そこのところをぜひ聞かせてください。

北原　そうだね。少し話は変わるけど、もし、授業中、寝ていたり、ほかごとをしていたりする生徒を見つけたら君はどうする。

松村　もちろん注意します。「○○さん、何してるの、今授業中でしょ。すぐにやめなさい」って。生徒の名前を呼びながら、時には大きな声で。

北原　そういう姿を他の生徒はどう見ているだろうね。

松村　え。

北原　悪いのはその生徒だけじゃないの。

松村　そうですね。

北原　ほかの生徒は真剣に、教科書を読んでいたり、こちらが出した問いを一生懸命考えていたりしているんだよね。そんな時に大声を出されたら、それを妨げられて驚いたり嫌な思いをしたりするんじゃないかな、そう思ってね。

松村　そう言われればそうですけど。じゃあ、先生はどういう注意の仕方をするんですか。

北原　そーっと。ほかの生徒の邪魔にならないように、そーっと。普通に机間巡視をするように、ほかの生徒の視線も気にしながら、そーっと、その生徒に近づいていく。こちらが近づくだけで、はっと気づいてやめる生徒もいるし、起きる生徒もいる。もし寝てしまって気がつかない時は、静かにやさしく「もしもし」と声をかけたり、机を小さく「トントン」と叩いたり、できるだけその生徒にだけ届くようなメッセージを送っているかな。

松村　先生。それは少し甘くないですか。

北原　でも、さっきも言ったように教壇に立ったままでその生徒に注意をすると、結局はほかの生徒の邪魔をしてしまうよね。

松村　そうですけど。

北原　寝ている生徒は起こさないといけない。ほかごとをしている生徒はきちんと注意をしないといけない。そういう一生懸命な気持ちがかえってその生徒しか見えなくさせているんじゃないかな。

松村　そうかもしれません。ついその生徒の方だけに視線がいって、視野が狭くなっているというか。自分がその教室の中で、他の生徒の目にどう映っているかなんて考えなくなりますね。

北原　実はこの話には続きがあって、荘周が反省してこう言っている、「私は雕陵に散歩してわが身を忘れ、かささぎは私の額に触れて栗林に遊んでその身を忘れ」と。私の話は荘周ほど大したことはないけど、でも教師にとって、一番大切なのは毎日の授業だし、授業中大切なのは、そこにいる生徒全員が心地よく集中して学習できるということだから、わが身を忘れて生徒を注意して、生徒が気持ちよく学習が進むのを妨げるのは、授業の本質から外れてしまうことかなと思うんだけどね。

松村　そうですね。私もこれから授業中生徒に注意したくなったら、この「栗林」の話を思い出して注意の仕方を工夫してみようと思います。

【語源コラム　呑舟(どんしゅう)】（康桑楚篇）

舟を呑みこむほどの大きな魚でも、陸に上がってしまうと、小さな蟻に食われて苦しめられる。だから徳のある人間はあまり表に出ず、深く身を隠すんだ。『荘子』の中では、康桑楚という老子の弟子にそう語らせています。

その「呑舟」という言葉は、その後、舟を呑み込むほどの大人物という意味で使われるようになり、わが国でも何人かが好んで自分の号にしたようです。

まず一六九四年、俳人松尾芭蕉が臨終の時、その介抱をし、芭蕉最後の句「旅に病んで夢は枯野をかけ廻る」を書かせた人として「呑舟」という人の存在が伝わっています。

続いて松永呑舟。一六九八年の生まれで、儒者として、また僧として名を馳せた人のようです。現在千葉県香取市の千佛寺にそのお墓があります。

三人目は大原呑舟。一七九二年京都に生まれ、画家として、山水画や人物画を得意としたと伝わっています。

このほかにもお店の名前としてこの「呑舟」という言葉は今でも使われています。

第十八話　左官の名人と大工の名人

荘周があるとき、ある人の野辺の送りを見送って
たまたま恵施の墓の前を通り過ぎた。
そして従者を振り返ってこう言った。

ある左官の名人と大工の名人との話だがね。
楚の国の都である郢（えい）の町に生まれた左官の名人が、
あるとき壁土を蝿の羽ほどの薄さで鼻の先に塗り、
大工の名人である匠石にそれを斧で削り落とさせた。

匠石はブーンという音を立てながら削ったが、
左官は匠石に任せて身動きもしない。
壁土はすっかり削り落とされ、
鼻にはかすり傷ひとつなかった、という。
左官の方もじっと立ちつくしたまま顔色ひとつ変えなかった。
さてこの話を聞いた宋の王様である元君が匠石を呼んで
「ひとつわしのためにその芸当をやって見せてくれ」
と頼んだ。
匠石はこう答えた。
「わたくしは以前は確かにうまくやれました。
　けれどもこのわたくしの相棒は

「とっくに死んでしまったのです」

恵施が亡くなってからというもの、
私には相棒になってくれる好敵手がもはや誰もいない。
一緒に議論をするものがなくなったのだ。

荘子葬を送りて恵子の墓に過る。顧みて従者に謂ひて曰く、郢人、堊もて其の鼻端を漫ること蠅翼の若し。匠石をして之を斲らしむ。匠石、斤を運らして風を成す。聴せて之を斲らしむ。堊を尽くして鼻傷つかず。郢人立ちて容を失わず。宋の元君、之を聞き、匠石を召して曰く、嘗試みに寡人の為に之を為せ、と。匠石曰く、臣は則ち嘗て能く之を斲れり。然りと雖も、臣の質は死して久し、と。夫子の死せし自り、吾れ以て質と為す無し。吾れ与に之を言う無し、と。

（徐無鬼篇）

松村　先生、今年二年生になったAさんなんですけど、最近明るい笑顔が見られるようになってほっとしています。

北原　それはよかったね。

松村　一年生の時は、クラスになじめなくて、友達もあまりいなかったので、心配していたんです。

北原　二年生になる時のクラス替えで、いい友達に巡り合えたんだね。

松村　そうみたいです。いつもBさんと一緒にいるんです。最初はBさんが声をかけたことがきっかけだったようなんですけど、今は二人とっても仲良くしていて、ほんとに馬が合うんでしょうね。Aさん、それをきっかけに生き生きしています。

北原　一年間が終わって次の学年になる時に、新しいクラスになるのは不安な面もあるけど、新しい出会いがあると、少々大げさに言うと、自分が別の人間みたいになるよね。

松村　そうですね。周りにいる人や、友達によって、自分が変わることもありますね。

北原　このお話に出てくる、荘周と恵施にしても、左官の名人と大工の名人にしても、相手がその人だからこそ、自分の力が十分に発揮できるんだよね。

松村　そうですね。相手がいなくなったら自分の力が発揮できないというのもわかる気がします。

北原　ところで、授業をしていてこんな経験はないかな。

松村　どんなことですか。

北原　学年も同じ、進度も同じ、内容も同じ、でもクラスによって、気分が乗ってうまく授業ができる時とそうでない時と。

松村　あ、それ確かにあります。

北原　やっぱりあるよね。クラスの雰囲気というか、そのクラスの生徒と自分との関係がうまくいっていると、説明がとてもスムーズにできたり、的確な具体例がぱっと思いついたり、生徒が実に的を射た発言をしたりと、お互いにとっていい授業ができたりすることってね。

松村　そのクラスの生徒との関係作りがうまくいっていると、本当にやりやすいですよね。

北原　授業が生き物みたいに感じることがあるよね。それで、最初の話に戻るんだけど、自分って、自分だけでできているんじゃなくて、周りの人から作られているような、そんな気がすることがあるんだけど、どう思う。そんなこと考えたことないかな。

松村　先生また難しいこと言ってませんか。

北原　『荘子』のこの話を読んで、ただ単に、荘周にとって恵施が、左官の名人にとって大工の名人が、よき理解者だとか、好敵手であるといった以上に、その相手がいたからこそ自分がある、逆にその相手がいないと、その人がその人でなくなる、ということかな。

松村　うーん、難しいですね。

北原　実はそんなことを考えるようになったきっかけはね、転校なんだ。
松村　転校ですか。
北原　子どものころに父親の仕事の関係で何度も引っ越しをしてね。二、三年に一度は家を変わっていたんだ。もちろん、そのたびに転校もするわけだけど。
松村　何回ぐらい転校したんですか。
北原　幼稚園で一回、小学校で二回、中学校で一回、高校で二回かな。
松村　へえ、大変ですね。私なんて、大学の時に故郷を離れることはありましたけど、転校なんて一回もしたことはありません。
北原　今から思えば大変だったのかもしれないけど、転校するたびに何となく感じていたのは、行く先々で違う自分がいるということなんだ。
松村　どういうことですか。
北原　ある学校では、元気に遊びまわって、昼休みはいつも運動場にいるっていう感じだったのが、次の学校ではなぜか、まじめで口数も少なくおとなしく過ごすようになったとか。

松村　不思議ですね。

北原　そう、不思議だと思っていたんだ。行く学校によって、違った自分が現れるんだから。自分の性格や能力は、自分が作っているのでなくって、周りが自分を作っているような、周りとのバランスで自分ができあがっているような、そんな妙な感覚をずっと持っていたんだ。で、その妙な感覚の答えを最近見つけたんだ。

松村　答えがあるんですか。

北原　そう。「間身体性」。

松村　え、「かんしんたいせい」。どういうことですか。

北原　この言葉は、『現代文のキーワード』という、最近の評論によく使われる言葉を集めて解説をしている本で見つけたんだけど、その解説によると「ひとつの身体は、独力で自らの身体を制御しているわけでなく、他の身体との関係の中で、自らを制御している」と書いてあった。そのほかに「互いに影響を与え合う相互作用も重要」とも書いてあったんだ。

松村　少しはわかるような気がしますが、もっと具体的に説明していただけませんか。

北原　その本にある例で言うと、自分の部屋で一人で勉強するよりも、図書室や自習室で、他の人がいるなかで勉強するほうが他人の視線を感じながらするのではかどるんだとか、体育祭やクラスマッチでも、周りでたくさん応援してくれているほうが、気合が入っていつもより力が発揮できるとか。自分の体が、周りとのバランスというか、周囲との関係で作られているということが、今の評論では話題になるということのようだね。

松村　「間身体性」という言葉は今初めて知りましたけど、そう言われたらわかるような気がします。自分の性格や才能が自分だけでできていたり、発揮されたりするのではなく、周りの人との関係の中で作られたり、現れたりするということですよね。

北原　だから、クラスが変わると、その中の人間関係のバランスというか、自分の位置づけが変わるから、それまで居場所が無くて困っていた生徒が、生き生きとなることもあるんだろうね。

【語源コラム　蝸牛角上の争い】（則陽篇）

かたつむりの二本の触覚の上にそれぞれ国があり、その二つの国が争って出た死者が数万人。なんとも荒唐無稽な話ですが、この話は、戴晋人という人が、魏の恵王が斉の国を攻めようとするのを止める寓話として登場します。

無限に広がるこの空間の中で、今魏の国と斉の国が争うのは、まるでかたつむりの両角の上で争うようなもの。無限を分母にして有限を解く『荘子』らしいお話の一つです。

第十九話　無用の用　その二

惠施が荘周に言いました。
「君が言っていることは役に立たないことばかりだな」
すると荘周が言い返しました。
「役に立たないというのがどういうことかを理解して、
役に立つということを言うべきだと思うよ。
この大地は広いけど、人が利用するのは足を置く場所だけだ。
だからといって足が踏んでいる大きさだけ測って
あとはあの世まで掘り下げていったら

この立っている場所は役に立つかね」
惠施が言った
「役には立たないな」
すると荘周が言いました、
「それじゃ、役に立っていないものが
実は役に立っていることがわかるだろう」

恵子、荘子に謂ひて曰く、子の言、用無し。荘子曰く、用無きを知りて、始めて与(とも)に用を言ふ可し。夫れ地は広く且つ大ならざるに非ざるなり。人の用ふる所は足を容(い)るるのみ。然らば則ち足を側(はか)りて之を墊(ほ)り、黄泉に致さば、人尚ほ用ふる有りや、と。恵子曰く、用ふる無し。荘子曰く、然らば則ち無用の用たるや亦明らかなり。

（外物篇）

松村　先生、古典嫌いが多いって話聞いたことありますか。

北原　あるよ。文科省の調査によると、たくさんの生徒が古典が嫌いって言っているみたいだね。

松村　私、ちょっと調べてみたんですけど、平成二十五年に文部科学省が全国の中学三年生を対象に学力・学習状況調査をしているんですけど、その項目の一つに「古典は好きですか」があって、「どちらかというと当てはまらない」と答えた生徒と「あてはまらない」と答えた生徒とを合わせると七割を超えてますね。この項目はこの時初めて設けられたようですけど。

北原　古典嫌い、古典離れが進んでいるな、ということで付け加えたのかな。

松村　確かに私の周りでも増えているような感じがします。

北原　以前、一年生のクラスでこういう生徒がいたね。僕はなぜ古典を勉強するかわかりません。現代語はしないといけないでしょうけど、こんな今使わない言葉の勉強をしても将来役に立たないと思います。そう言って授業中よく寝ていたよ。

松村　先生はそんな時、どんなことを生徒に言っているんですか。

北原　うーん。なかなか難しいね。将来生きていく上でのヒントや助けになることがある。だから教養として勉強しておくんだ、と言っても、実感は湧かないだろうね。どうしても高校では大学受験を意識して勉強していることが多いからね。その生徒も受験が近づいたら必要に迫られて一生懸命古典を勉強していたけど。

松村　受験に必要なだけの古典の授業というのはなんとかしたいですね。

北原　ところで古典、つまり、古文や漢文はいつごろまで使われていたか知ってる。

松村　教科書では江戸時代までが古典で、明治以降は現代文という分け方になってますけど。

北原　確かに授業では、古文は平安時代や鎌倉時代の文章を勉強する機会が多いし、漢文は紀元前の諸子百家の文章や、春秋戦国時代のエピソードを描いた文章を読む機会が多いね。でも意外と最近まで使われていたみたいだね。

松村　例えばどんなのですか。

北原　戦前に制定された法令、例えば商法や刑法、民法なんかは漢文訓読調で、ごく最近になって現代語化されたって聞いている。だから法学を勉強する人には漢文が必要だってことだね。同じように戦前では公文書は漢文訓読調だったというから、八十年前までは普通に使われていたということかな。

松村　ほかには何かありますか。

北原　前回のリオデジャネイロで開かれたオリンピックで、テニスの錦織選手が銅メダルを取った時に、男子テニスでは九十六年ぶりの快挙、とあったので興味を持って調べてみたんだ。そうすると、当時の新聞記事にこう書いてあった。

「我が選手不成績の中に立つて獨り庭球競技に氣を吐きつゝありし熊谷氏は二十三日午後南アフリカのレーモンド氏と庭球優勝単試合を行ふ、細雨時に到る。（中略）ああレーモンド氏は遂に一等賞を得たり、我が熊谷氏は二等賞となりて氏としては頗る不成績なりしは遺憾千萬と謂ふべし。」

松村　先生、まさに古典ですね。歴史的仮名遣いや漢字の旧字体は使われているし、古文の助動詞まであります。

北原　これが一九二〇年八月二十六日、アントワープ五輪決勝で惜しくも敗れて銀メダルを獲得した時の記事だよ。オリンピックで日本人がメダルを獲得したのはこれが初めてなんだって。

松村　へえ、すごいですね。ほぼ百年前、熊谷一弥（いちや）さんがテニスで取ったのが日本人としてオリンピックでメダルを獲得した最初なんですね。でもそれよりびっくりするのは、その様子を知るためには古文や漢文の知

唯一の頼み――庭球に
熊谷氏栄冠を逸す
南阿のレーモンド氏苦戦して遂に一等賞を得
◇淑女達に囲まれて
敗れて亂れぬ名選手振り

第７回アントワープ五輪で熊谷氏が日本人初のメダル獲得を報じた記事

識が必要だということですね。

北原　そうだね。わずか百年ほど前には、我々が今やっている古文や漢文が新聞で使われていたということだね。あと、最近よく話をするんだけど、防災の話。

松村　防災の話がどう古典と関係あるんですか。

北原　この四国では近くに南海トラフと呼ばれる海底地形があって、近いうちに巨大地震が起こるんじゃないかって言われているよね。

松村　そうですね。学校でも地震の直後はどうやって身を守るか、揺れがおさまったらどう避難するか、津波の被害は大丈夫か、毎年のように訓練していますよね。

北原　その地震って何年に一度の割合で起こるかは聞いたことあるかな。

松村　五十年や百年に一度、でしたっけ。

北原　そう、だいたいそれくらいだね。そうすると以前起こった時の記録を参考にしようとするとどうなる。

松村　え、以前のですか。五十年や百年に一度ですから……。ん、ひょっとして先生、その記録は古文や漢文で書かれているんじゃありませんか。

北原　その通り。一回前、二回前、そのくらいでもう古典の世界だ。だから最近古典の読み直し、特に地方で残されている古文書の読み直しが行われているところもあるみたいだね。

松村　その土地その土地の人たちが残した貴重な財産ですよね。

北原　そう、そうした昔に生きた一人ひとりの記録の上に今の我々の生活が成り立っているんだよね。そう考えてくると、今使われている言葉は決して古文や漢文と切り離せるものではない。もっと言えばこれまで多くの人が伝えてきた言葉が背景にあり、それに支えられてたまたまひょっこりと顔を出しているのが、現代語かなと思う。氷山の一角、そんなことをイメージしてくれたらいいかな。

松村　確かに氷山と言えば、海面下で支えているのが九割で、海面に出ているのは一割と言いますからそうかもしれません。

北原　それから教科書に高階秀爾（たかしなしゅうじ）という人の「日本人の美意識」という文章があるん

だけど、読んだことあるかな。

松村　はい、あります。日本人がどのようなものを美しいと感じるか。それを「うつくし」と「きよし」という二つの言葉で説明しているんですよね。

北原　そうだね。今「美しい」という言葉を使うけど、「美しい」の古語の「うつくし」は平安時代や鎌倉時代までは「小さくてかわいらしいもの」の意味で使われていた。竹取物語のかぐや姫が竹の中に「うつくしうてゐたり」というようにね。反対に、今は「清潔、汚れのない」という意味で使われる「清い」の古語「きよし」が、平安時代や鎌倉時代では今の「美しい」の意味で使われていたということだったよね。

松村　そうでしたね。いろいろな具体例を挙げながら丁寧に説明がされていたので、とてもわかりやすかったですね。高階さんが言いたかったのは、日本人の美意識には「うつくし」の系統と「きよし」の系統の二つの流れがあるんだということでしたよね。

北原　そう。現在の日本人の美意識、つまり、日本人がどのようなものを美しいと思うか、それは古典の時代から続く二つの大きな流れが関係している、ということだね。そういう意味でも現代で我々が感じていることは古典の世界に支えられているということのようだ。我々の感覚がどこからきたかを見つめ直し、それを磨いて将来につなげるためにも古典を学ぶ必要があるということかな。

松村　そうですね。荘周が言う「足が踏んでいるところだけが役に立つわけではない」ということですね。

【語源コラム　小説】（外物篇）

坪内逍遥著『小説神髄』。一八八六（明治十九）年に刊行されたこの本は、これまでわが国になかった「Novel（ノベル）」の概念を根付かせようとして書かれた、近代小説の理論書です。

ここでおもしろいのは「逍遥」も「小説」も『荘子』にある言葉だということです。「逍遥」はもちろん、『荘子』冒頭の逍遥遊篇です。それは作家坪内雄蔵（逍遥）の「芸に遊ぶ」、そのあたりの考えとつながるようです。

ところが「小説」という言葉は、逍遥が使うような意味ではなかったようです。

『荘子』「外物篇」にはこうあります。任という国の公子が大きな釣り針と太い縄、それに五十頭の牛を餌につけて毎日釣り続け、ようやく一年たって巨大な魚が釣れたので、干し肉にして配ったところそこら中の人が満腹になった、という話に続けて、小さい竿では小さい魚しか釣れないのと同様、「小説を飾りて以て県令を幹（もと）むるは、其れ大達に於いて亦た遠し」、つまり「つまらない意見を誇らしげに飾り立てて言い、高名を求めようとするのではとうてい大きな立身栄達は求められない」というものです。

『荘子』の中では「小説＝つまらない意見」という意味で使われているようですが、それを今につながる近代小説として生まれ変わらせたのが、坪内「逍遥」であるというのは何か不思議な縁を感じます。

初版本扉　明治19年５月

第二十話　轍鮒（てっぷ）の急

荘周は家が貧しく、
あるとき穀物を借りに監河侯のところに出かけました。
すると監河侯はこう言いました。
「いいとも。そのうち領地から税金があがるから、
そうしたら君に黄金三百斤を貸してあげよう。どうだね」
荘周はむっと気色ばんで答えました。
「私が昨日ここにやって来る時のこと、
途中でなにものかに呼びとめられました。

あたりを見まわすと
轍(わだち)の水たまりに一匹のフナがいるのです。
私はこう尋ねました
『フナくん、君はいったいどうしたというのだ』
するとフナは答えました。
『ぼくは東の海からきた海神の使いです。
私の命を助けてくれるほんの数升の水をあなたはお持ちではないでしょうか』
そこで私が
『いいとも。これから南方の呉と越の王様のところに行くから、
そうしたら君に長江の水をあげよう。どうだね』

フナはむっと気色ばんで答えました。
『ぼくはいま、ぼくにとっての絶対的な伴侶、
すなわち水から離れてもがいているところです。
己れの安住の地さえありません。
わずか一斗か数升の水を恵んでもらえれば、
それで命がつなげるというもの。
あなたがそんなことを言うのなら
いっそこの僕を
乾物屋の店先で探したほうが早いというものです』と。」

荘周家貧し。故に往きて粟を監河侯に貸る。監河侯曰く、諾。我将に邑金を得んとす。将に子に三百金を貸さんとす。可なるか。荘周忿然として色を作して曰く、周昨来たりしとき、中道にして呼ぶ者有り。周顧視すれば車轍の中に鮒魚有り。周これに問ひて曰く、鮒魚、子何為るものぞ。対へて曰く、我れは東海の波臣なり。君は豈に斗升の水有りて我を活かすか。周曰く、諾。我将に南のかた呉越の王に遊ばんとす。西江の水を激して子を迎ふる、可なるか、と。鮒魚忿然として色を作して曰く、吾れ我が常与を失へり。我れ処る所無し。吾れ斗升の水を得て然ち活きんのみ。君乃ち此れを言ふは、曽ち早く我を枯魚の肆に索むるに如かず、と。

（外物篇）

松村　北原先生って実はすごい人なんですよね。
北原　え、急に何。
松村　何冊か本を出版していますし。
北原　まあ確かに。
松村　先生の名前でネット検索をするとその本のこととか、他にもいろいろ出てきますよね。
北原　まあ何百件か出てくるみたいね。
松村　大学で講演をされたこともあるとか。
北原　ああ、大学以外でも栗林公園の中にある会場で二百人くらいを前にお話ししたこともあるよ。
松村　それはどんな話なんですか。
北原　長くなるから簡潔に言うと、ある石碑にまつわる話なんだ。この『荘子』にも十回ほど名前が出てくる「禹（う）」という、洪水を治め夏王朝を始めたといわれている人で、日本でも治水の神様としてその石碑が全国に百以上あるんだけど、そのうちの一つが香川県にもある。その石碑が発見され、世に出るまでのいきさつとか、その石碑の意味とか、全国の中での位置づけとか、ね。

松村　高校の教員としてのお仕事のほかに、そんなこともされているんですね。生徒に紹介することもあるんですか。

北原　まあ、たまにね。四月の最初の授業で、自己紹介をするときに少し話をするかな。こんなことを普段やってますって。

松村　生徒はずいぶん驚くでしょうね。本を出していたり、ネット検索で先生のことが出てきたりすると。

北原　でもね。最初だけだよ。

栗林公園内にある禹王碑「大禹謨（だいうぼ）」

松村　え、どういうことですか。

北原　最初はね、「先生、すごい」ってなるけど。結局我々にとって大切なのは、生徒一人ひとりのために日々どう役立っているかっていうことだからね。

松村　と言いますと。

北原　生徒はたぶん、この先生が今の自分に何をしてくれるか、そう思っていつも見ていると思うよ。それも一人ひとり違った目でね。

松村　そうかもしれません。

北原　私は高校で国語を教えているけど、年間で多いときは百時間くらい授業をするクラスもあるから、その一時間一時間、どんなお話をし、どんなことを学ばせてくれるか、それを生徒は期待しているはずだよね。

松村　確かにそうですね。

北原　難しすぎることをしゃべってもいけないし、逆にわかりきったことをいつまで話してもいけない。生徒は正直なので、顔色や態度に出る。もっとおもしろいこと、もっと自分にためになることをしゃべってくださいって。

松村　そうですね。授業を受けているクラスの生徒一人ひとりの関心や理解がどこにあるか、そうしたことを感じながら五十分の授業をどう進めていくかは案外難しいですよね。

北原　授業以外で生徒と向き合うこともたくさんある。例えばクラス担任としてね。

松村　朝のホームルームや掃除の時間では毎日自分のクラスの生徒と接します。その時々で気になる生徒はいますね。顔の表情やあいさつの声一つでも気にかけていますけど、普段と少しでも違うと気になりますね。

北原　そうだね。自分のクラスの生徒だと、特に気にかけ方が違うし、生徒の方もクラス担任の先生に対しては他の先生と違う接し方をしてくるよね。このあいだ体育祭があって、その時の話なんだけど、急にクラスのある生徒がやってきて、審判に対する不満を言うんだ。かなり怒っていたけど、その怒りをどこに持って行っていいかわからないから、まず担任の私のところに来たみたいで。

松村　それでどうなったんですか。

北原　生徒から話を聞くと、確かに間違ってないなと思った。だけどこれは私がどうこうできる話ではないと判断したので、すぐに体育祭の運営に携わっている先生のところに一緒に行って話を聞いてもらった。本人としては十分ではなかったかもしれないけど、私としてできることはしたつもりでいる。

松村　ほかにも何かありますか

北原　この間、掃除の時間に、先生ちょっとグチを聞いてください、と言ってきた生徒がいてね。

松村　グチですか。

北原　そうグチ。グチを聞いてあげて、それで満足したかどうかはわからないけど、その生徒にとってはグチを聞いてもらえる先生が欲しかったんだろうね。

松村　この先生だったらグチを聞いてくれると思うから生徒が来るんですよね。普段からちゃんとそういう構えでいなくちゃいけないということですね。

北原　学級日誌に日直の生徒がコメントを書く欄があって、もちろん一人ひとり違うコメントを書いてくるんだけど、今の自分の気持ちをわかってほしい、それがよく表れているよね。

松村　そうですね。こちらもその生徒の顔を思い浮かべながら一つひとつコメントを返しますよね。

北原　ところで、話は変わるけど、確かイギリスのオックスフォード大学の先生が、ＡＩ、つまり人工知能の発達によって十年後にはなくなっている職業がなんと四十七パーセントにのぼる、そんな研究結果を発表して話題になったよね。高校教師はどっちだったか知ってる。

松村　確かなくならないほうだったと思います。というか、なくなってほしくないですね。

北原　どうしてそう思うのかな。

松村　授業内容の解説だけだったら、昔からビデオ映像なんかがありましたから、簡単にＡＩに取って代わられても不思議ではないですけど、授業だけでなく、生徒一人ひとりに対応する、そうした職業だからですかね。

北原　でもね、実はこんなことがだんだんできるようになるらしいよ。生徒一人ひとりの日々の様子をデータとして蓄積して、具体的にいうと、授業をきちんと聴いているか、生徒がディスカッションでどんなやり取りをしているか、課題をきちんとこなしているか、そして最終的にどれくらいの成績をおさめているか、そうした膨大なデータを集めて、その情報を利用すれば、人間に代わってコンピューターの講師が、個々の生徒に応じた講習や評価ができるようになるし、卒業後の就職適性も導き出すことができるようになるんだって。

松村　先生、毎日の学校生活って、決して授業と試験だけではありませんよね。生徒一人ひとりには本当にいろんなことがあります。ちょっとした友人のひとことでとても傷ついて落ち込む時もあるし、先生から服装について注意されて、不満でいっぱいの日もありますよね。

北原　確かにね。育ってきた環境も考え方も違う生徒がたくさん、今の学校だったら八百人ほどが集まっているからね。

松村　授業や試験だけでないと言えば、学校行事や部活動も生徒にとっては重要な学校生活の一部ですよね。

北原　そうだね。体育祭やクラスマッチ、運動部なんかは体を動かすのが得意な生徒が活躍できる場だし、文化祭やスピーチコンテストのように、そういうのが得意な生徒が活躍できる場もある。絵が得意だったら、修学旅行のしおりの挿絵や文化祭のポスターを描いたりもできる。クラスの友達と一日校外で思いっきり遊べる遠足もあるしね。そう考えると、我々教師の仕事って、授業も含めて、学校での行事全体を考えながら、一人ひとりの生徒の顔を思い浮かべて、時には一年前、二年前のその生徒のことを思って、その一人ひとりが生かされる場、そういう場を設定する、そういう仕事かもしれないね。そういう意味ではＡＩに取って代わられない、または代わってほしくない仕事だね。

あとがき

最近、不思議なことがあります。

授業中にたまたま年齢の話になり、あと一年で定年だからもうすぐ五十九歳だよ、そう言うと生徒たちが一斉に「えー」。五十ちょっとくらいにしか見えないとのこと。若く見られてうれしい、というより、かつて二十代のころは十歳くらい老けて見られていたので、いつのまにか、時間が年齢を追い越してしまったようで不思議な感じでした。もしかして時間という枠を超えることができた、これも『荘子』の哲学のおかげでしょうか。

もう一つ。最近生徒との距離がだんだん近くなってきているような、そんな感じがあります。これまでは、歳を重ねるにしたがって、生徒との年齢差も増し、それこそ定年間近になると、距離が開いてよそよそしくなるものと思っていました。ところが不思議なことに、近頃は以前よりもまして高校生と楽しくお話ができるような気かしています。特に今年のクラスの生徒とは仲良く「遊」んでいます。もちろん彼らから言わせると「遊」んであげているのかもしれませんが。世代を超えて「遊」ぶ、これも『荘子』の哲学のおかげかもしれません。

終わりにあたって、福永光司先生の『荘子』はかなり読み込みました。大学院時代、わずか二年間でしたが、郷里に帰って来られていた先生の謦咳に触れ得たことは、まさに願ってもないことでした。そのころの先生はすでに『老子』や『荘子』の枠を超えて、道教と日本文化の関係について研究しておられたので、直接『荘子』の講義を受けたことはありませんが、私を見て高校教員を勧めてくださったことで今があります。先生の学恩にお返しをすることなどとてもかないませんが、そのかわりに後輩に少しでもその学恩を送っていければと思います。

最後に、この拙い本が世に出るにあたって表紙のデザインや文字の大きさなど貴重なアドバイスをくださった美巧社の田中一博さんにこの場を借りてお礼申しあげます。

令和二年の年頭にあたり

北原　峰樹

[著者紹介]

北原　峰樹（きたはら・みねき）

1961年広島市生まれ。北九州大学大学院中国言語文化専攻修了

現在、香川県立高松桜井高等学校教諭として勤務

「治水神・禹王研究会」理事

翻訳書『物語でつづる中国古代神話』（美巧社）

共著『治水神禹王をたずねる旅』（人文書院）

編著『平田三郎の生涯～大禹謨を世に出した人～』（美巧社）

『「大禹謨」再発見～それを受け継ぐ人たち～』（美巧社）

『荘子郭象注索引』（北九州中国書店）ほか多数

荘子の哲学を生きる　九万里を分母に

漢文好き高校教師の語り合い

令和二年三月一日　初版発行

著　者　北原　峰樹

高松市御厩町八五二－一二

TEL　〇八七－八八五－六五七三

発行所　株式会社　美巧社

高松市多賀町一丁目八－一〇

TEL　〇八七－八三三－五八一一

FAX　〇八七－八三五－七五七〇

印刷・製本　株式会社　美巧社

定価はカバーに記載しております。乱丁・落丁はお取り替え致します。

ISBN978-4-86387-112-0 C0037